Eleonora Galván Martínez

Buscando mi Camino de Luz

Eleonora Galván Martínez

Buscando mi Camino de Luz

Reflexiones de Leonora

JustFiction Edition

Imprint
Any brand names and product names mentioned in this book are subject to trademark, brand or patent protection and are trademarks or registered trademarks of their respective holders. The use of brand names, product names, common names, trade names, product descriptions etc. even without a particular marking in this work is in no way to be construed to mean that such names may be regarded as unrestricted in respect of trademark and brand protection legislation and could thus be used by anyone.

Cover image: www.ingimage.com

Publisher:
JustFiction! Edition
is a trademark of
International Book Market Service Ltd., member of OmniScriptum Publishing Group
17 Meldrum Street, Beau Bassin 71504, Mauritius

Printed at: see last page
ISBN: 978-620-0-10481-6

BUSCANDO MI CAMINO DE LUZ
"REFLEXIONES DE LEONORA"
****

Al rescate de mi Alma del naufragio
En este mar que es la Vida...
Ahí, le encontré abatida sin fuerzas
Y en agonía
Lo bueno de esto, es que ya todo pasó
Y vivo para contarlo...Por eso
¡Miradme aquí! Ahora ya estoy a salvo

&&&&&&&&&&&&&&&&

Esto es simplemente de acuerdo a mi ideología
Basando este contenido aplicando mi teoría
Según mis conocimientos
Escribiéndoles en prosa dedicado para a ustedes
También algo de poesía aunque sencillamente
Pues verán que solo es inspiración del alma mía

&&&&&&&&&&&&&&&&&&&&

Una construcción, tiene que estar basada en una buena cimentación.

La formación humana es importante con bases morales firmes, y en el hogar la educación esencial; desde ahí, se empieza a crecer, a conocer la vida, y de los ejemplos dependerá, esa mentalidad positiva.

El entorno al que ha llegado un nuevo integrante, tiene que ser adecuado, de antemano preparado. Teniendo conciencia y claro, actuando con inteligencia al ir guiándole, cuidando la semilla que está germinando, que al estar desarrollando, debe ser abonada con luz y agua, sin sobrepasarse, solo lo necesario, pero sin faltarle nada. Dedicando tiempo y esmero, hablándole, haciéndole ver siempre lo importante, con amor cada instante. Dándole lo mejor, demostrándole como son y a valorar las cosas, la más pequeña, la más grandiosa, que la vida es primorosa, que su risa es divina, que hay un DIOS; que todos los seres humanos nos queremos como hermanos, no importando el color ni raza o religión, que hoy, la vida es mejor, y si ya oscureció, pero pronto sale el sol; así también las estaciones del año, ir familiarizándose, comparando la primavera con la etapa de la juventud, siendo igual, la primera vida, debiendo aprovecharla, ni un minuto malgastar; cultivando ese espíritu, aprendiendo cosas buenas, siguiendo así hasta el final conservando esos valores hasta la hora de su partida, nunca teniendo que avergonzarse, con la conciencia tranquila, y haber cumplido bien. Porque esa es nuestra misión: Un comportamiento excelente en la vida

Esto que aquí escribo, quiero dedicarlo a la gente que conmigo, también esté buscando cambiar. Que siente la sed y el hambre de la Luz y la Verdad.

De antemano, agradezco y pido una disculpa, por tomarse la molestia de leer esto que escribo; se que están preparados, física, mental e intelectualmente; de verdad les felicito por el éxito obtenido, al saber aprovechar la gran oportunidad que la vida les ha brindado, y el apoyo generoso que tuvieron a su lado, todo de cualquier modo; lo que cuenta es el orgullo, la satisfacción, cosechando esos frutos de su propia plantación. Sinceramente: Leonora.

&&&&&&&&&&&&&&&&&&&&&&&&&&&&&&&&&&&&&&&&&&&&&&

Arte, transformación. La palabra se convierte en su modo de conjugación, de acuerdo al sentimiento que nace del corazón; lo que dices, lo que expresas de la vida, del amor. Cuando quieras dejar huella de una historia que pasó.

Escribir, quiere decir plasmar, dejando tu sentir por medio de las letras, en la eternidad sin fin.

Maravillosa palabra, arte, de todas formas tú puedes expresarte, en todo momento, en cualquier parte; cuando sientas que el pesar te abruma, escribe, veras que no hay motivo para tanto mal, ni pena alguna.

El arte de hacer y poder, canalizando amor, ciencia, tecnología, leyenda o ficción. O si prefieren también algo de filosofía, según tu parecer; a mi, me nace, tengo que reconocerlo, me gusta la poesía, y aunque no hice carrera, también puedo componer versos, temas diversos que nos llenen de ARMONÍA. Esto es un verdadero placer, teniendo esta facilidad aportando algo de este arte, en esta oportunidad que engrandece la nobleza y en lugar de preocuparse, tener en que ocuparse, así como hoy, buscando estoy la salida, llegar ahí hasta arriba agradeciendo a la vida por tener esa energía que nos da este maravilloso universo; mas esto no es un esfuerzo, todo por llenar de alegría al mundo, nuestra existencia, saber que no hay penitencia que tal vez condenaría, a vivir arrinconados, solos, olvidados, ya nada nos salvaría. Pero esto nunca podrá pasar, porque todo está perfecto y también en su lugar, cada letra con la cual, se compone la palabra que prevalecerá por siempre: ARMONÍA UNIVERSAL.

Que nunca se perderá, pues muy cierto es y en todo tiempo, hay talento, capacidad que se generará, pues se tiene que heredar más, todo lo que se pueda, en grandes, medianas o pequeñas; el tamaño no importa cuando son invaluables obras, logrando con esto transmitir a la nueva generación, que se forme esa idea con su propia opinión, sin hacer la distinción, única sin comparación; con esa luz de su estrella, quedando grabada para siempre en el alma, la palabra: BENDICION.

&&&&&&&&&&&&&&&&&&&&&&&&&&&&&&&&&&

De la noche a la mañana, de pronto así, volvió mi pasado y todo de golpe en mi cara restregó; tuve que enfrentarlo, es difícil se los digo a tan dura realidad. La semilla germinaba en mi vientre, maduraba; pero nunca imaginé, que ahí comenzaría a educar lo que concebí, de mi propia vida dar a luz esa continuación, la extensión mía, aquí con toda esa formación de sentimientos encontrados, frustración, resentimiento, tristeza, infelicidad; ese desencantamiento, un pesar que nunca debí dejar pasar; aún cuando mi inocencia al actuar, pude haber hecho conciencia, pensando bien mejorar mi propia especie y de antemano debí prepararme, cuando me atreví a lanzarme así, sin medir mis pasos. Hoy, duelen los fracasos, viendo mis ilusiones en pedazos. Pero maduré ya con los golpes de la vida, me eduqué con todo lo que pasé; ésta fue mi penitencia, pero así no viviré, esta mala experiencia a un lado he de hacer, sacando fuerzas de lo miso para vivir y seguir, donde cambiaré, mi vida renovaré, la armonía, la paz, conmigo llevaré de ahora en adelante. De mis cenizas resurgiré como el ave fénix, su ejemplo presente siempre tendré. A mi ser interno confiaré mi vida y en mi caminar sea mi guía. Eso es, así debió ser desde el primer día que tuve uso de razón, respetando, llevando mi propia convicción con firmeza, hasta la realización de estar completa, formada y recta, mi espiritual—humana representación, que en este mundo, es esta vida, lo de más valoración.

Así que, nada impida lo que quiero y se que aún puedo lograr. Si me mantengo por esta senda, seguramente será por la que llegare; pues creo tengo ya quien me lo indicará. Por lo que atenta debo estar, para captar la señal que en cualquier momento me dará, esa LUZ en toda esta oscuridad, la que busco para retornar al fin, siendo digna, poder recibir esa grandeza con humildad, que propagarla debo en adelante a la humanidad

&&&&&&&&&&&&&&&&&&&&&&&&&

Nadie está ciego
Todos y cada uno tiene su verdad
Si me quedo o me elevo, también puedo regresar
Sí, lo se, quién no sabe que tiene esa libertad. Pero debemos apreciarla por ser una necesidad, alcanzando lo importante. Por nuestro propio bienestar, el cual debemos buscar

Para esto, rechazar debo todo lo que pueda contaminarme. O sea desechar ideas, pensamientos y palabras que manchen o quieran desarmonizar. Así también cuidando esa hermosa vestidura, que no vaya a desgarrarse ese precioso traje, nuestro luminoso ropaje espiritual

Hoy, comprendo perfectamente, así es como debo ir, llevando dentro de mí, esta mi conciencia limpia; actuando honestamente; cambiando mi actitud y mi manera de ser con la gente.

&&&&&&&&&&&&&&&&&&&&&&&&&

NADA

Existe en tu mente la fuerza
En ella debes confiar

NADA

Demuestra que no hay batalla
Que pueda doblegarte

NADA

No pienses en la medida ni en la distancia
Cuando no hay limitación

NADA

Sigue busca en tu camino
Todo lo puedes lograr con tu fe sin desmayar
Lo que quieras alcanzar vuela más allá del sol
Déjate llevar y se cada día mejor

Tus sueños tus ilusiones puedes realizarlas
No hay final recuerda eres eterno
Si contigo llevas la verdad

Debes seguir adelante ya no mirar hacia atrás
Si sabes que llevas dentro y puedes aferrarte
Para llegar a la meta y ahí, con esa luz
Tú resplandecerás

No por la mano del hombre destructora, llegará a su fin el bien presente. Cada mañana, cada día hay nueva aurora, imponiendo la cordura y nuestra mente elevar, demostrando esa buena voluntad y seguir, llegando a buen término de la historia, que DIOS quiso formar, desde el principio de la humanidad.

Hay libertad y poder, no para mal encausar, ¿por qué entonces proceder pensando sólo aniquilar y destrozar?, Con esa mente que todo lo distorsiona, que podemos esperar si lo bueno se malogra.

Enfrentando cara a cara, aquí, desde este lugar, en nombre de mi conciencia, con la autoridad que tengo, exigiéndoles con humildad, por tener capacidad de expresar hoy, y pedir a ustedes que están en un pedestal, haciendo mal uso de sus poderes, tanto hombres y mujeres; pensar bien las cosas, acabando su maldad, antes de causar mas daño con fórmulas peligrosas, al mundo, a tanto ser inocente que nada deben.

¿Qué pasa por vuestra mente grandiosa, inteligente a toda capacidad que tienen desarrollada? pero desgraciadamente, vemos que están llenos de soberbia y a como de lugar quieren apoderarse de todo, sembrando temor y terror, tanta discordia.

Basta ya por favor, tengan misericordia, un poco de piedad. Por lo que recurro a su alto espíritu de honorabilidad, ¿qué orgullo puede quedarles cuando no hay honestidad? Y quiero tomen ustedes en cuenta, que toda esa consecuencia, de por vida, cargarán en sus conciencias.

Hoy, les invito a luchar, procurando rescatar, sanando lo más pronto posible, este, nuestro medio ambiente natural, de tanta mugre en la que se está ahogando, que le está perjudicando, vayamos despejándole, que se vea el cambio, viviendo de una manera correcta; abriendo el camino a una nueva era; generando amor y paz, lo deseamos con el alma entera, por el bien UNIVERSAL. De verdad, su propia descendencia lo agradecerá.

&&&&&&&&&&&&&&&&&&&&&&

A imagen y semejanza somos del gran creador. Un ser tan maravilloso que por amor nos formó, con todo lo necesario a cada quien por igual, sin hacer menos a nadie su riqueza repartió.
El SER más inteligente, el GRAN DIOS—OMNIPOTENTE, todo esto nos heredó. Y por si esto fuera poco, en un bello paraíso además, en libertad nos dejó.
Cada cual haga su vida, con cariño nos habló, dejando diez MANDAMIENTOS.

Como principio aclaró: podéis hacer un reino tanto o más, como el que les dejo hoy, viviendo siempre dignos, cuidando y haciendo todo con AMOR. Y esto fue, así quedamos con esta gran BENDICIÓN.

Ahora como ser humano, lleno de egoísmos; todo lo que me heredaron no se en donde quedó. Sólo pienso en mi mismo, tener tanto más y más, y de esos mandamientos nunca me acordé jamás.
Que aun siendo inteligente lo desperdicio en maldad; total, a mí la gente, ni me viene, ni me va.
Solo haciendo mi fortuna, sin pensar en los demás, destruyendo una a una, la más grande cualidad.
Y lleno de soberbia, sin gustarme oír consejos, hundido en esos vicios, pues es mi parecer, abusando de mi fuerza y también de mi poder. Al fin y al cabo es mi vida, yo se, lo que debo hacer.

Y ya sin tener conciencia, siendo tanta la impaciencia, me vale ese deber. Todo por vivir de prisa, olvidando el paraíso, en vez de cultivar me dediqué a destrozar, en lugar de cuidar, nunca me puse a pensar, que éste, es mi lugar, el cual también debo heredarlo, teniendo ese compromiso, que siendo yo responsable, si doy AMOR, soy amable, es mi propio beneficio.

Pero como he cambiado y por esto hasta olvidado el principio primordial. Como puede ser posible esto que a diario yo vivo en el mundo material. Ya que todo es ficticio, no tiene ningún valor. Esto no estaba escrito. Donde está toda la herencia de AMOR y paz que nos legó. ¡Por qué tanto sacrificio si hay hambre y dolor! Por sembrar mala semilla mira lo que producía.

Esta es la humanidad, que tristeza, sólo falsedad; ¿Por qué estamos olvidando nuestra espiritualidad? Cada quien vive su vida y construye su destino, de acuerdo a su voluntad, mas es por su cuenta y riesgo no deberá reclamar; porque ahí está la culpa si todo le sale mal.

&&&&&&&&&&&&&&&&&&&&&&&&&&&&&&&&&

Si no se tienen principios, difícil será llegar. Pues recordar esto debes, quién eres, de dónde vienes, para poder comenzar. Meditando en los decretos, tu vida armonizar. Confiando en los mandamientos y así bien todo estará. Por esto, vivamos la vida con amor, con humildad; estas son las enseñanzas que dejaron, en ese libro sagrado, los grandes, quienes lo interpretaron, preocupándose por los hombres en la tierra, que si quieran convivir, de muy buena voluntad.

Esto siempre ha pasado, es un poco fatigado estar oyendo un sermón; pero cuando necesito, me desespero y grito: ¿por qué esto, me pasa a mí?

Buscando solo a quien culpar. Mas debo siempre pensar, si claro, reflexionar, que hice, como vivo, viendo cual es el motivo, buscar donde este ese mal. Y es que tengo que cambiar por otra mentalidad. Tengo que resucitar, sacando mi divinidad. Acercarme más y más, buscando dentro, en mi interior, poderme valorar para hacer ese recuento; mi carga liberar, perdonarme y perdonar, aunque tenga que llorar.

Hacer de esto, un reencuentro conmigo mismo, asomarme hasta el abismo, así sin falsedad, desnudando por entero, el alma mía que aquí llevo, porque esto es lo que quiero, limpiarme de vanidad; entenderme, para entender, amarme, dando amor, aquietarme, pensar que es mejor dar y no pedir, así dejar de sufrir. Tanto que me ha dado Dios, brazos fuertes, manos, pies sanos, con el sol de cada día, y mi vista que alegría; pero vivo quejándome en la noche y en el día, en lugar de agradecer por el nuevo amanecer, que es la oportunidad de poder renacer, que si ayer mal yo pague, hoy si debo hacer el bien. Esto es lo que hace analizar mi vida y comprender dentro de la palabra de Jesús profetizada, "buscad primero el reino de Dios" y lo demás, lo demás es por añadidura. Pero como voy a entender esto, si estoy lleno de temor, y eso, es no tener fe.
Si ahí mismo El nos dice, "yo soy" el poder, cuando tú lo necesites, siempre que puedas creer. Mas buscamos y buscamos, el pecho nos desgarramos, de llorar ya desmayamos sin podernos convencer, porque no queremos ver, que tenemos ese ejemplo de lo que debemos ser, y es precisamente; como vivió "ÉL"

&&&&&&&&&&&&&&&&&&&&&&&&

Profesar la religión sin llegar al fanatismo. Creyendo en uno mismos, esa la fe, "yo soy el camino la verdad y la vida", que nos da y nos dice con su ejemplo Jesucristo. Es por eso que yo siento a la humanidad perdida. Siempre buscando allá fuera y hacia dentro nunca mira.

Porque nunca recordamos, cuando tenemos, no damos a nuestro prójimo, nuestros demás hermanos que nos necesitan. Por tener ese deber, dando amor, aliviando, ayudando siempre, haciendo algún bien, pero desinteresado, pensando en los demás, tener generosidad, nunca negar un favor, con un gran corazón, y más nunca solo estarás. Y es que así tú sentirás la mayor satisfacción, a tu prójimo llevarle dando felicidad. Siempre que en ti confíes, actuando de buena fe, buscando en tu camino, guiado igual como a un niño de la mano con el padre, en esa luz que te envía para alumbrar cada paso, es la luz que nunca falla, ahí no existe el fracaso, porque siempre nos protege en sus amorosos brazos.

Ya no quiero confundirme, quiero abrir mi entendimiento, de vivir en la ignorancia es de lo que me arrepiento. Se que no hay nada perdido, aún estoy a tiempo; quiero hacer algo por mí, poder compartir, dejando huella, que sea mi propia estrella que alumbre mi camino, a donde debo llegar. Que me sienta orgullosa si en algo puedo servir. Así que, hoy es el día para reconsiderar, en la búsqueda que espero, donde este mi gran verdad.

Es la vida tan hermosa si eres digno y fiel, así puedes quedarte calmado, gozando tú espiritualidad si ya la has encontrado. Esto a veces muy profundo lo tienes que meditar, porque ser de este mundo, es solamente un disfraz, es tu alma lo que cuenta, servir a Dios nada más, para vivir en su reino, o padecer tu propio infierno, y eso, ya decidirás.

Analizando un poco, servir a Dios, no es que me encierre en un convento, rezando tanto ya por demás. Servir a Dios, es vivir lleno de contento, gozando cada momento, esto es alabar con gloria, haciendo historia ayudando a los demás. Recuerda que Jesucristo vino a predicar esto. Como Dios único hijo, nunca actuando con maldad, a ricos, pobres, y ancianos nos ayuda por igual.

Recorriendo, caminando, enseñando a valorar, que no tengamos prejuicios, conviviendo en la verdad; donde estés y donde quieras, todo puedes lograr, pasando por mil peligros, si lo pides, siempre "El" te salvará.

&&&&&&&&&&&&&&&&&

Ya no te quedes sentado cuando puedes caminar, aprovecha hoy tu vida, ocupándote en algo, pues el día aún es largo y los frutos ya verás. No se trata de rezar postrado todos los días, es poniéndose a trabajar con gusto y con energía, y al terminar la jornada agradecer por esta vida, por el techo y nuestro pan de cada día, también el estar entero y saludable, sintiendo dentro del pecho ese latir con alegría, ya que es el templo sagrado donde tiene su morada, quien tanto nos ha amado, así, sin pedirnos nada.

Cuanto tengo que aprender y es tan fácil yo me insisto. Sólo por el egoísmo que no hago lo que es; pero ahora me propongo ese enemigo vencer, tengo que eliminarlo o yo puedo perecer. Debo arrancar de raíz este rencor y estas dudas, porque el temor es cual Judas, y no me quiero perder.

Quiero salir adelante con la espada de la fe. Quitar de en medio primero lo que no me deja ver; así seguir avanzando, vivir sin ir tropezando para cumplir mi deber. Llevando los diez mandamientos, hasta mi entendimiento, hacérmelos valer. Esto es lo que quiero comprender, a nadie debo culpar de lo que ahora yo pago; si fui mal administrado de la vida, de los bienes, esto que a mí me heredaron, las cosas maravillosas que yo nunca valoré.

Ahora veo todo diferente, me da pena, que suerte que ahora la gente pudiera comprenderme; más esto es lo que debo hacer. Soy quien debe ayudar en lo que pueda para sentirme bien; ya que nunca he sido abandonado, a pesar de todo, de lo mal que me he portado, siempre está mi ángel guardián que Dios mando aquí, a mi lado.

Así también recordar que Dios es lo primero, que en el principio formó el cielo y la tierra, todo lo que está en ella. Que a imagen y semejanza de la grandeza yo vengo, creado, equipado con todo, como a un rey, dejando a mis pies el universo y así sin ningún esfuerzo, mis deseos conceder.

&&&&&&&&&&&&&&&&&&&&&&&&&&&&&&

Hoy, los años han pasado, la vida me ha marcado, nunca pude comprender, cómo pude ser tan cruel, que caro ya he pagado; mas Dios no me ha castigado, eso sí no puede ser; son las cosas que yo hice, en lugar de buenas obras, todo lo eche a perder; siendo este sufrimiento que está acabando conmigo, esto, el peor castigo que yo mismo propicie, nadie puede ser culpable puesto que me lo gané.

Al actuar fui sembrando, odios, miedos, rencores, esos mal sinsabores que provocaban ver, al no ser mi conveniencia, nunca nada estaba bien, y como todo en la vida, las vueltas que va dando, así va generándose, poco a poco, de hecho o de palabra, negativo, positivo, de acuerdo a lo que estés pensando, también lo que estas deseando. Esto va acumulándose y montañas formándose; una gran verdad, y cada quien llevará por bien o por mal, la carga que pesará hasta la eternidad. Más si ya está liberado el camino, has encontrado esa luz que te guiará en completa libertad. Es tu premio, el enfermo ha sanado, ese premio ganado por ti mismo, y para bien.

Esto no lo he inventado, es la ley del universo, ya he recapacitado. Vivimos en libertad, para poder elegir el camino a seguir, y como vivir. Pues de tu propio destino eres el arquitecto. Piensa bien antes de hacer. Muy cierto, en verdad ahora lo digo, mira que mejor testigo que en carne propia yo vivo, estas son las consecuencias por salirme de las normas, ¿de qué sirven mis lamentos?, ¿qué le reclamo a mi Dios?, y cuando estuve sano, lleno de juventud, hice lo que yo quise, cuanto se me dio la gana, pero nunca recordé que la mejor oración, lo que más agrada a Dios, es hacer el bien, nunca mirando a quien. Sin reproches, ser sinceros, donde se nos necesite aliviar el sufrimiento, procurando al sediento, siempre el corazón abierto para toda bendición. Hacer la transformación, llevando paz donde hay guerra, ser un ejemplo de amor, sin obstáculos ni fronteras, sentir propia, toda entera, sin importar el color, o tamaño del hermano, cuando de todas maneras, somos uno, esta gran humanidad.

&&&&&&&&&&&&&&&&&&&&&&&&&&

Ya como parte de un todo, nunca existió división, la grandeza se nos da, de manera equitativa, la vida proliferó en sus diferentes reinos, porque así lo estableció "El", el único hacedor de este universo y el hombre grande-sabio, así heredero quedó, además de inteligencia tantos dones recibió, nunca con animales, jamás se le revolvió, ni con seres inferiores, aunque vida son valores, pero no nos asoció.

Así también todo a su tiempo, como la naturaleza misma con hechos nos demuestra; tiempo de preparar la tierra para cultivar. Por lo que con esmero debe seleccionarse la semilla buena, sembrándola, cuidando, esperando con paciencia que es la mejor cualidad; ¿para que desesperar? si de antemano se sabe lo que se cosechará. Es en realidad la verdad. Por lo mismo hay que cuidar la manera de pensar, también de nuestro hablar, lo que decimos.

Pues nos dejamos llevar sin saber, que son decretos, nuestras propias palabras lanzadas con la energía, aquí en nuestro mundo, según la mentalidad, desencadenando la fuerza de gravedad y quedamos atrapados en el mismo laberinto, y nos sentimos cansados de buscar una salida y nos pasamos la vida sin avanzar más allá, por gastarnos sin saberlo el Don que nos dio el Eterno, sin poder y no saber valorar. Así todo lo bueno, en la nada se pierde.

Qué nos enseña el señor?, *vivir para dar amor. Amando al prójimo como a uno mismo, siendo cada día mejores;* con nadie compararse, no criticando ni condenando; pero siempre dar la mano, apoyando a nuestro hermano que ha caído en desgracia. Aprender a ser humildes, generosos. Que no sea un esfuerzo dar de corazón. Nunca de la tentación se debe ser dominado.

Recordemos que la riqueza, se lleva en el alma, eso es el gran valor, ahí está la salvación; el odio y el rencor que anida en el corazón, esos malos pensamientos, hacen daño al no saber perdonar, esto nos hace mal. Hoy es tiempo de cambiar, busca en ti la solución, tu barca puedes llevar con la fuerza que te queda para desembarcar a la orilla y descansar.

&&&&&&&&&&&&&&&&&&&&&&&

Teniendo la certeza con la fe, siendo esta grandeza, viviendo dentro de la verdad, será nuestra libertad y nunca más las cadenas se volverán a cerrar.
Mi fe es la que salva, la justicia, pensar bien, deshaciendo el egoísmo sin dejar enredarse y donde quiera las puertas se abrirán de par en par.

Nunca por el pesimismo ni por negros nubarrones, debemos perder el ritmo de las buenas intenciones. Tratemos de avanzar, superándonos en la vida espiritual, en tu mente está la fuerza, si tú quieres y lo aceptas, a Dios como tu verdad. Debe ser el sentimiento, el que nos dé gran aliento, esa corriente tan dulce, lo que debe sentirse así, dejarse llevar, asoleándose en la luz donde todo es bondad, ese es tu cielo que nadie va a quitarte, y lo que necesites, ahí encontrarás. Esa paz que busca el alma, cuando crees que hay soledad.

No hay nada fuera, debes recordarlo y no guardes el amor, sácalo, debes darlo, el mundo lo necesita, a tus hermanos pequeños nunca debes olvidar. Dar un beso con cariño, al niño, al viejo que está cansado, a quien tienes a tu lado, al joven desorientado que un consejo necesita, pues está desesperado. Mira a tu rededor, por qué pides si tienes para dar, ahí está lo que buscas, el camino, tu destino, la luz de la verdad; si, la verdad que anhelamos, la búsqueda en la que andamos y no podemos ver; pues sólo nos preocupamos y la vida pasa, sigue su curso ¡y cuando eso aprovechamos! Seguimos sin entender, que tenemos que ocuparnos, agradecer y alegrarnos, si estamos intentando salir, sacar nuestra fuerza, ser dignos, para vencer al egoísmo arraigado que no nos deja crecer.

Hay que comprenderlo, ahora debo saberlo, haciendo hoy que puedo caminar. Demostrando con hechos mi buena voluntad. Ya que no sólo es hablar, es no cansarse de dar con felicidad.
Así es como actúa Dios a través de nosotros, y a veces no lo dejamos, el camino le tapamos, y esto no puede ser.

&&&&&&&&&&&&&&&&&&

Y quiero recalcar esta pregunta, aclarar, si puede contestarse; ¿por qué dejar todo hasta el último momento? ¿Prefieres vivir con el sentimiento, sin querer compartirlo, evitando un enfrentamiento, y sólo quieres huir de ti mismo o esconderte?, por no darte valor y verte cara a cara, derribando la muralla en la que te ves preso, llenos de temor, sintiendo un vacío alrededor que hace temblar, por lo que siento mis piernas tambalear, y quiero salir, quiero despertar, no aguanto la angustia. Sin poder gritar muero y nadie sabe lo que soy ni lo que quiero, porque nunca quise salir del agujero. Y ahí está, una tumba más. Es que sólo fui un proceso, nacer, crecer y morir; que pena, sólo eso. No, no lo quiero repetir. Yo sí quiero renacer, se y tengo que hacerlo; esto lo quiere mi Dios, pues soy la resurrección, eso nos dio a entender. Y por esto en su nombre y por la fe, es que el hombre se convierte para vencer a la muerte, y bajo esa luz vivir, porque de verdad lo siente.

Que tristeza caminar, sin la luz de la verdad. Cuan estuve equivocado, y esto me ha devorado. Lo que yo creí formar en mi mundo diferente, que hoy no puedo ver de frente, pues ahí siempre presente, el recuerdo está latente. Fue mi propia voluntad, mi cruz no quise soltar, hasta el fin de mi calvario, ya ni para qué llorar. Por esto hoy, quiero regenerarme, limpiar el alma y vivir de verdad.

Somos grandes, somos libres y debemos aprender en la escuela de la vida, como y que poder hacer, si deseamos avanzar, si queremos progresar, haciendo lo posible por un crecimiento espiritual.
Primero es, contando con esa nuestra gran inteligencia, ya que ésta la traemos, y para ese gran Ser, todos la merecemos, también nos guía. Así es que, no debemos correr, si aún no sabemos caminar. Por lo mismo, nuestras emociones debemos controlar.

&&&&&&&&&&&&&&&&&&&&

Es el punto principal, a donde quiero llegar, de esta inquietud que tengo, aquí compartiéndoles con sinceridad. Cuántas calamidades nos pudiésemos ahorrar, no tenían por qué pasarnos, al dejarnos arrastrar por esta debilidad, en esa etapa de juventud−inmadurez, que aún sin tener alas, no podemos esperarnos, y preparar el camino, despejándole hasta poder volar. Así es como damos el mal paso sin medir las consecuencias. Esas, las cosas que hacemos cuando aún no es el tiempo, cortando la fruta sólo por curiosidad, sin aprovecharla, por no estar madura, entonces pues la tiramos. Pero esto, tarde o temprano tenemos que pagarlo. ¡Ah! Pero nos quejamos, aunque no preguntamos el por qué. ¡Ahí está!, entonces ¿cuál ejemplo es el que damos?, ¿que

Valores, les dejamos? a los nuestros, a quienes tanto queremos y son por los que luchamos, que hasta la vida así, nos acabamos?

Por eso aquí, y ahora, buscando estoy la luz que ilumine mi camino, se que hay un ser divino que me llama, que me dice, "ven a mí"... Ya no llores ya no sufras... ¿Qué no ves que estoy aquí?... Esa voz... Ese llamado, siempre ha estado aquí dentro presente. Mas como estuve ausente, alejado del camino que por mi error perdí, por lo que anduve vagando donde no correspondía, pero yo quería estar, mas no era mi lugar, por eso tanto sufría.

Pero esto, ya no tiene que pasarnos. Hoy es el día, tengo que aprovechar, calmado ya sin luchar, dejando que me lleve y me conduzca, el Ser de gran esplendor, por el sendero indicado, el cual yo había errado.
Dejándole ya, en manos del omnipotente, que es toda sabiduría, a ese Rey de gran bondad, que tome la iniciativa, que sea su voluntad la que impere mientras viva. Y esto si me preguntan, ¿cómo se puede lograr? Sólo dejar de pensar, ocuparse, sin preocuparse, ya que por orden divino, todo está en su lugar. Así es que, no es lo que quiero lo que importa, sino lo que tiene que ser, tratando de acomodarse, buscando donde estar en paz, lo correspondiente, esa gran heredad que cada cual tiene, ahí donde debemos, buscando nuestra vocación, pues esa es nuestra misión, cumpliéndola con amor, con responsabilidad, y así cuentas claras dar, el día del juicio final.

&&&&&&&&&&&&&&&&&&&&&&&&&&&&&

CAUSA Y EFECTO, es una Ley.
Tenemos que saberlo, si han vivido con acierto ya van a comprenderlo. Si la conciencia está limpia, nada debemos temer. En el juego de la vida, existen normas para atenerse y así saber conducirse, limpia y correctamente. Esto no es cuestión de suerte, lo decide cada quien; sabiendo perfectamente, que el bien se paga con bien, lo que cuesta es mantenerse firmes, honestos, siempre de pie, para afrontar situaciones, que pueden entorpecer sentimientos, emociones y así podemos caer, pues sacamos conclusiones, que llevan a tener algunas contradicciones, si no sabemos que hacer.
Sobre aviso no hay engaño, si ya estamos preparados, o por lo menos repasarlo, si es que estamos atorados, pues con diez no hemos calificado, aunque sea de panzazo, siempre vamos a lograr salir, llegar a otro grado. Lo que vale es el esfuerzo, y no quedar reprobado.

&&&&&&&&&&&&&&&&&&&&&&&&

Filosofía: teoría de la vida.
Del dicho al hecho hay mucho trecho. Los que dicen, porque saben que hay una gran verdad, por lo mismo que han vivido aquí en la realidad, ya lo tienen comprendido, por eso en la actualidad, de cualquier forma y sencillamente pueden aplicarlo, y que por su experiencia, podemos considerarlo.

Es virtud tener paciencia, lo malo es abusar.

No por mucho madrugar, amanece más temprano, nunca tarde hay que llegar, porque ya estará cerrado, ni llegar antes de tiempo, porque estaremos cansados cuando llegue nuestro turno. No hay como ser puntual, aprender y aprovechar. Hoy es cuando esta oportunidad y recordar, que cada día algo nuevo se aprenderá. Pues hay que superarlo, no tomándolo como rutina, que sea la disciplina, que nos convierta lo bueno por conocer a ciencia cierta, creando de manera directa, un ambiente de reunión en el trabajo, sentir la satisfacción, ser un ejemplo de cumplir no por obligación, pues de algo hay que vivir. Sería bueno reconocer, cual es nuestra actitud y nuestra forma de ser. Lo importante es crecer, alineado y no de lado.

&&&&&&&&&&&&&&&&&&&&&&&&&

Cuando hay juventud, y creemos que todo lo podemos, por lo que sin pensar nos comprometemos, llevando a cuestas la carga, ahí vamos que hasta miel derramamos. Mas cuando a la larga, el cansancio nos domina, pidiendo a gritos esquina para tirar esa toalla. Por esto hay que fijarnos, viendo por donde caminas.

Tenemos que prepararnos, paso a paso en la vida. Vivir conforme vas avanzando, y tu poder sopesando. Reafirmando esos logros.

Todo es bueno sin excesos, con medida. Mientras no incurras en la mentira y te conduzcas con propiedad. Defendiendo tu verdad. Es importante saber llegar bien a la cima, recordando nuestros principios, sobre todo lo moral.

No es fácil a veces mostrar nuestros verdaderos sentimientos, aunque sudemos la gota gorda tragándonos todo ese sufrimiento, por orgullo, vanidad, es ofensivo que vean nuestra debilidad; que barbaridad, y ¿quien carga con todo eso? ¿A donde se va?; esto muy seriamente se debe analizar.
   Ya que nuestro cuerpo, sólo es una maquinita que organiza, distribuye y tiene que almacenar; si pero no

sabe, obedece que no es igual. Por eso precisamente de tanto y tanto, algo se descompone, sin imaginarnos lo que pueda dañarle.

Por lo mismo, hay tantas enfermedades, a veces a tiempo no pueden detectarse, sólo sentimos esa molestia y a duras penas podemos aguantar. Aquí está esto, lo que puede causarnos un susto, un disgusto, o una gran contrariedad; y que nos indigesta, que callamos por no querer gritar, lo que guardamos por pena que nos vean llorar; como firmando nuestra propia sentencia, que viene a condenarnos, dejándonos postrados, lastimados. Por esto pienso, que quizá así, no nos gustaría terminar.

&&&&&&&&&&&&&&&&&&&&&&&&

A este mundo, cada quien llega con posibilidades, en igualdad de oportunidades para desarrollarse en la vida, por lo tanto, no se vale si por el sustento se mendiga.

Pues estar acostumbrados a depender, aunque sea de su familia, es de valor carecer y nunca reconocer su autoestima. Pero como puede ser, pero suele suceder. Difícil es comprender tal razón, teniendo ese parecer en esa circunstancia, sin la responsabilidad. ¿Donde queda la dignidad? La verdad, tristeza da, ver esa situación de comodidad, sin tener participación, aportando algo y cooperar, ayudando a conservar ese lugar, con motivo que sin derecho, nos adueñamos de ese hogar y que de alguna manera, se debería pagar por ese techo, porque si bien sabemos no es nuestro, pero podemos resguardarnos. Que pena no luchar, buscando el propio bienestar, por no querer esforzarse, ganar, o hacerse merecedor de una estabilidad, que cause respeto y admiración. Siendo ejemplo de motivación por una gran prosperidad.

&&&&&&&&&&&&&&&&&&&&

¿Cuál es el motivo de nuestro existir? esto yo contigo quiero discutir; descubrir la inteligencia y desarrollarla en toda la extensión de la palabra, dejando que nos conduzca y así multiplicarla. Pero ¿cómo lo voy hacer? si apenas puedo entender que dos más dos, son cuatro. Y uno más uno, son dos. Rascándome la cabeza no lo voy a conseguir. Mas sé que debo seguir intentando desde hoy, seguir preparándome. Pues tiene que ser así y aquí las matemáticas se que pueden servirme, conociendo el cuadro completo, hasta la raíz.

Ahí estará la verdad, la inteligencia aplicar. Es hora ya de restar la apatía, la soledad y la tristeza, dividirlas cada día, hasta dejarlas atrás. Sumando más energías con todas las buenas vibras, buscando ese bienestar que tanta falta nos hace, tanto físico y mental; de verdad es necesaria esa fuerza espiritual; la cual iremos transmitiendo, ahí en su oportunidad; pues la vamos obteniendo, ayudando también a quienes estén buscando la grandeza, que siga generándose para ellos, los que vienen allá atrás, seguir expandiendo todavía más y más. Espero y tú me digas, será esto lo que tenemos que hacer y valorar, o sea, lo bueno, esas cualidades que nos conciernen y creo valen la pena entonces, creciendo más. Si es así, se lograría del universo la paz, y también esa armonía que nunca debe faltar.

&&&&&&&&&&&&&&&&&&

No tienes por qué esforzarte, ni mucho menos cansarte. Dios no quiere sacrificios para demostrarle fe. Claros son sus mandamientos, esto tenemos que verlo, según sea el comportamiento, depende de cada quien, ya que nunca nos obliga a cumplir con el deber, pero es nuestro compromiso, sólo servirle a "él", buscando la mejor forma, para lograr entender sus ejemplos y enseñanzas, todo hay que comprender en el diario de la vida, aprender de los errores, tratar de no volver a cometerlos. Y que esto sea un espejo, donde no me quiero ver.

Si sabemos que la vida, es un paso en este mundo y vivimos amarrados, atados a lo profundo de la materia, que se queda desechada, olvidada, cuando no tiene valor, porque está muy maltratada.

Pero quién nos obliga hacer lo que no debemos, si podemos consultar y pedir un buen consejo; y es por no prepararnos para cualquier situación, somos tal cual peregrinos y vamos en procesión. Alineados, formados, mientras nos llega la hora de la gran repartición, que nos toca por derecho; los bienes de nuestro padre, ya que así lo decretó.

Pero ahora mi ignorancia, de todo esto que pude, y que no superé. Aunque se que la regué, pues mi turno no esperé, según yo me adelante, saliéndome de la fila, porque ya quería ver, lo que para mi tenían reservado, sin haberme fijado, que delante de mi faltaba mucho para llegar, pero hoy, tengo que aguantar, esto que me ha tocado, que no era para mí. Todo por desesperar, perdí la oportunidad. Mas debo tener valor, así, de nuevo comenzar, aunque ya no limitado. Aquí desde mi lugar donde quedé varado, ya sin voltear hacia atrás, pues lo pasado, pasado, ahí, quede enterrado, porque no vale la pena volver a recordar, para no perjudicar esto que quiero iniciar y me propuse lograrlo, si mi alma quiero salvar.

&&&&&&&&&&&&&&&&&&&&&&&&&&&&&

Pero ¿qué hacer cuando todo está enredado?, o es que así nos parece, por no entender la razón el motivo por lo que fue creado, este grandioso universo del que fuimos heredados; que pena de verdad, no saber apreciar lo bueno, lo más valioso, la vida que se nos da, no supimos cuidarla, pues a toda costa, queremos demostrar por no esperar, imponemos la ley del más fuerte, viviendo tan de prisa. Esto no es un maratón, todo se puede lograr, con tenacidad, paso a paso, sin presión, con la confianza absoluta, siendo nuestra la creación, por lo que aquí nos dejaron, todo sin limitación.
Entonces ¿qué es lo que pasa, por qué me siento estancado?, es mucho lo caminado pero no he avanzado, y ya estoy muy cansado. Lo que pasa son mis dudas, mis propias contradicciones, lo que tengo en la mente, los obstáculos que puse, por lo que estoy atorado.

Mi Dios, como he olvidado que tengo eso, el poder que me das. Y con toda la humildad, me lo permites. Por lo que si quiero, puedo llegar y elevarme sobre las limitaciones; así también alcanzar más allá de las estrellas, todas las cosas bellas que se hicieron para mí. Que sus hijos podemos, estando en armonía, llegar al sol cada día, llenándose de alegría, oyendo la voz de este gran corazón, que cada uno tenemos, por una buena razón, que es nuestra propia salvación.

Por esto, debemos estar viviendo en gran hermandad, así como debe ser, y nuestra mente ordenar, para recapacitar. También ver y saber a quien debemos amar por sobre todas las cosas. Así llevando amor y con hechos demostrar, una cadena formar, unidos cada vez más con la fuerza de la fe. Y sea que a través de nosotros se proyecte esa luz, para quien la necesite y quiera vivir en la verdad, esa vida espiritual.

&&&&&&&&&&&&&&&&&&&&&&&

&&&&&&&&&&&&&&&&&&&

El buen juez, deberá comenzar y ordenar su propia casa. O sea por uno mismo. Barriendo todos los rincones, la conciencia analizar, los pesares no nos sirven, los debemos de soltar, así como los apegos, para poder descansar.

¿De que sirve tanto lujo?, pues todo lo material que ahora tú cuidas mucho, eso aquí se quedará, en cambio las buenas obras, son las que contarán, esas satisfacciones que siempre perdurarán, las acciones que hagas con los demás, ayudar de todas formas, el bien tú conseguirás, en tu mente y en tu alma la voz de Dios siempre está. Para seguir el sendero que a la grandeza nos conducirá. Es ese el gran tesoro, el que nos debe importar.

Es por esto mi reclamo, ya es hora de despertar; ponerse en movimiento con la espiritualidad, por vivir aletargado es que no logro sacar, esto que aquí yo tengo, mi potencialidad, para hacer todo lo que se me ha encomendado, en la vida terrenal.

Por los ritmos de la vida, nos dejamos arrastrar, son las cosas materiales lo que viene a dañarnos. Nada pasa sin excesos, todo es aprendizaje si se toma la medida.

Pues somos seres humanos, tenemos corazón, no barcos a la deriva. Por esto, es que estamos hoy, a tiempo de corregir nuestro rumbo. Adelante navegante, hazte cargo del timón.

Cuan diferente sería el camino de la gran humanidad, si desde el principio hubiésemos comenzado, abriendo primeramente, estos ojos de la mente, así sencillamente respetado la unidad, cada quien trabajando, su propia yunta jalando sin descuidar los valores, todo lo bueno sembrando, pues al final cosechando, verá esa gran prosperidad. ¿Y cuáles son los valores que se deben retomar?, vivir sin ostentaciones, no con limitaciones, pero siempre compartir. Convivir dando amor y atenciones ahí, en ese lugar en el que ahora estas. Por que nadie te mandó, es el que tú elegiste por tu propia voluntad.

No lastimes con engaños, deberás comportarte sinceramente y con toda honestidad, recuerda que el día de mañana así te podràn pagar. Con la vara que se mida, claro, así nos medirán. Cuando se hace un favor, nunca se anda pregonando, calla y guarda, verás que así es mejor. Son tantas cosas que pasan, mas no es casualidad, cada quien está viviendo, lo que tiene que afrontar, de acuerdo a lo que le toca, su misma mentalidad.

&&&&&&&&&&&&&&&&&&&

Porque tan variantemente Creemos, que es diferente, el maltratar a la gente, después rezar bendito Dios. Y un error tan grande cuando de rodillas orando, flagelándonos, sin importar el dolor físico, ahí vamos, tratando así de alcanzar algún favor especial, un milagro, para que camine alguien, o sanación de un enfermo. Aunque lastimado esté, su fe ha equivocado. Por lo que me pregunto, ¿qué es lo que prefiere Dios?

¿Vernos en armonía? ¿Ayudando a nuestro prójimo? ¿Cuidando a nuestra familia y ver por nuestra preparación espiritual? ¿O pasar angustias a la intemperie, arriesgando nuestra propia integridad física? Porque entonces, tengo que estar en los templos, a diario pasar, si no cumplo con los mandamientos, si no hago lo que predico, ni he perdonado a mi hermano; si no soy capaz de ver por mis vecinos necesitados de algo. Esto es lo que siento, quiere decir creer en Dios. Eso, nos han predicado. Haciendo bien las cosas, de corazón, sin escatimar o sentir egoísmo por algo. Cumplir con nuestro diario y sagrado deber, como debe ser. Sin mentir, ayudando sin falsedad, eso es orar, rezar, tratar de mejorar, porque Dios dice, que para todos hay, precisamente por esto, en El, debemos confiar; Dios es amor, es vida, verdad. Es el gran ser, la totalidad, por lo que nunca pensemos en dañar; sólo servir a la humanidad. Esto más que nada, lo escribo para mí, es mi auto-crítica. Pero que bueno si tú, sabes ver y oír. Ya que estoy tratando de cambiar, vivir en la verdad y seguir buscando ese camino de LUZ.

&&&&&&&&&&&&&&&&&&&&&&&&&&&&

Ahora así ya no es posible, que sigamos permitiendo, ser esclavos dominados por las cosas inferiores. Nuestros propios sentimientos apantallan la razón, como es que teniendo fuerzas, siendo tan inteligentes, no confiamos en nosotros y caemos en lo peor. No sabemos conducirnos, pues nos asalta el temor. Pensando sólo en peligros en lugar de lo mejor. Si hay tanta diferencia como de la tierra al sol, comparados con las hojas que lleva el viento, las que en algún momento, de su árbol arrancó.

&&&&&&&&&&&&&&&&&&&&&&

Si pensamos, existimos, siendo amos y señores. ¿Por qué tanto es que dudamos? Teniendo esos mil valores, siendo herencia generosa de la cual se nos dotó, así salir adelante de cualquier perturbación, que trate de molestarnos con una mala intención, desviándonos del camino, dejándonos a merced de los fantasmas malignos, que sólo desean destruirnos. Pero esto sólo pasaría si se los permitimos, y nos sigan hostigando esos tantos enemigos, que están aquí, dentro de nosotros mismos; debemos entonces vencerlos, teniendo ese poder para luchar y ese valor de enfrentarlos, demostrando que siempre, todo lo puede el amor y la verdad.

Que difícil subsistir en esta era moderna, todo por construir un futuro prominente. He ahí las consecuencias, que caro paga la gente. Pues la tierra que pisamos, comienza a quejarse, por tener ya muy dañada su corteza terrenal. Se sacude lastimada y se le unen al dolor, sus hermanos elementos, generando tantas lluvias, así como fuertes vientos.
Por eso estamos sufriendo esta devastación, al no tener conciencia y cuidar ésta, nuestra naturaleza, mutilando su grandeza, no tenemos compasión, sin pensar que es la vida, de este reino vegetal.

¿A donde vamos a dar? sólo podemos llorar, pues queremos acabar con todo lo que a nuestro paso nos podamos encontrar, que según es por el progreso. Pero que calamidad, que es lo que pasará si no llega a frenarse. Viviremos en la ruina y en la fatalidad. Cuáles son esas razones, que validos argumentos, si por doquier ya se escuchan tantas lamentaciones. Estas son sólo señales para reflexionar. Y buscar ya soluciones lo que nos debe importar, hacer caso a los avisos, o lo peor puede pasar. Es hora de trabajar, ya no debemos dejar, que sólo por nuestras ambiciones y el poder de la riqueza, lleguemos a tal situación de mal.

&&&&&&&&&&&&&&&&&&&&&&&&&&&&

Hoy en día, vemos tantos sacerdotes y pastores, gente grande, preparada, que van por las naciones llevando la palabra, y tienen la misión, de evangelización, convirtiendo a la gente, fomentarles fe, en los que no son creyentes.
Es difícil su labor, pues gritan se desgañitan, pensando que nos hacen entender, aunque no todos creen lo que ellos nos predican, aunque llaman la atención, buscando soluciones por una vida mejor.
Y a veces los escuchamos, porque tienen la razón, dando su propio sermón, así en cualquier ocasión. De verdad que se merecen nuestro respeto, cuando nos entregan todo y lo hacen de corazón. Creando así un mundo nuevo, a nuestra generación.

Y así vamos por la vida, descuidando lo importante, pues vivimos aferrados víctimas del horario, y por eso nos cansamos al paso del calendario, ya que el trote no aguantamos y nos llega la vejez, añorando buenos tiempos, lo que tuvimos alguna vez.

Mas si fuéramos capaces, de escuchar al corazón haciendo cosas que valgan la pena, conviviendo en armonía, dejando fluir la buena energía sin forzar la situación. Ya que a cada quien le llega tarde o temprano, cuando menos se lo espera, lo que siempre le perteneció, pero estemos preparados, si no sabemos cuando recibiremos lo justo, esta remuneración, el pago que por derecho tenemos, de a cuerdo a nuestra calificación, y sigamos trabajando, construyendo el camino, para llegar ordenados a nuestro propio destino, en una total comprensión, que esto, es una misión que tenemos, pues debemos entregar buenas obras al final; y no dejar vencernos jamás, porque así entonces viviremos, si reniegas o haces mal esta responsabilidad. Por lo que cada quien debe buscar, lo que tenga que hacer ahí, en su propiedad, arreglar, agrandar, sembrar para cosechar lo bueno, todo lo que pueda. No esperar, no depender, para que mientras viva no tenga necesidad, claro y con razón, me lo vuelvo repetir, todo está en la comprensión de lo que pueda pasar, entre más preparación, nada puede pesarnos.

&&&&&&&&&&&&&&&&&&&&&&&&&

Los golpes de la vida, experiencias que pasamos, ya que así nos expresamos cuando algo que no esperamos, nos hace tambalear, siendo esta consecuencia por ahí, algo que hicimos mal; pero ocuparla podemos, igual a un trampolín, pero ya no repitiendo lo mismo, esa situación, no dejar quede, si podemos hacerlo, pues siendo nuestro deber, demostrando que somos capaces, canalizando el coraje, convirtiendo todo en bien.

Hay veces que no tenemos el valor de hablar, de llevar a cabo cosas a nuestro favor, pero sí de criticar lo que en su oportunidad, no hicimos, porque no nos decidimos, y que ahora vemos mal en la gente, la que se nos ponga en frente, pensando nos quieren opacar, y defectos le encontramos. Mas esto, es por el sentir, lo que llevamos dentro, y con ese sentimiento, buscando sólo pretextos, en lugar de ayudar, sólo podemos estorbar con eso, los traumas que tenemos y es lo que no deja avanzar. Ya que estamos ocupados en juzgar a los demás, cuidando siempre al de al lado, sin ver lo que hay más allá.

Cada cabeza es un mundo, eso lo puedo jurar, ya que así lo manifiesta la manera de pensar. Yo se, que la vida es una y se llama humanidad, en esa palpitación, aquí, muy dentro del corazón.

Vale la pena vivir, por una buena razón. Haciendo todo por rescatar lo bueno, nuestros valores, sin cambiarlos jamás. Pues hay muchas tentaciones y no debemos fallar. Llevando nuestra frente en alto y podemos lograrlo, si tenemos resistencia, nada nos vencerá, al fin así nos veremos, siendo un éxito total.

A veces ha sucedido, y nos pasamos la vida, queriendo cambiar al mundo, cuando nosotros mismos hemos perdido el rumbo, sin saber a dónde vamos, ni que terreno pisamos. Pero somos tan valientes que al vacío nos lanzamos, cargando hasta el molcajete, de pilón con el perico. Ya ves, ahí estamos demostrando, que todo lo hacemos al revés. En lugar de elevarnos y seguir hacia adelante, ahí vamos de bajada lastimándonos las alas, hasta caer de pico.

&&&&&&&&&&&&&&&&&

Pero aquí una observación, ya que estamos en el tiempo, de la juventud que pasa cual caballo desbocado, desde el amanecer tanto que ha trotado, por eso al medio día, ya se encuentra muy cansado, mas lo que le falta por seguir, aún siendo temprano, pero se le ve maltrecho, avanzando a duras penas, sin poder andar derecho, la fuerza se malgastó, el brío se le acabó, y lo peor, no aprovechó lo bueno en el tiempo indicado. Así su lugar perdió, todo por descuidado.

Para la vida no existen, vencidos ni vencedores, sólo va seleccionando, los elementos mejores, que engrandecen dando buenos frutos, además de valorar, esta energía tan pura, que la grandeza nos da, conservándola intacta mientras que la vuelta da, para seguir ascendiendo y volver a comenzar.

Dios, no es algo o una cosa, mucho menos terrenal. Siente ahí, muy dentro su maravillosa presencia, es tu energía vital, la que fluye, la que llena, que llega ahí, a tu corazón. Es esa luz que ilumina, de aquí a la eternidad.

Si ahora tú, estas sufriendo, no tienes por qué llorar, en cambio, ¿qué estás haciendo para esto remediar?, pues si te quedas postrado, ahí te pasaras las horas, tal vez los días, y ¿de qué te servirá? desperdiciar tu talento, eso es lo que pasará. Te perderás en las sombras, nadie te recordará, mas si ahora te levantas como el resucitado, caminando muy seguro, porque al fin te has encontrado; verás que afortunado eres, por haberte despertado a tiempo. Claro que sí, por eso estoy aquí, y así quiero seguir, como un ser iluminado.

Pero no es por demás, de volver a insistir, de cumplir nuestro deber, y también saber cumplirlo. Así en nuestras labores, haciendo, aprendiendo, seguro más adelante, nos servirá de experiencia, lo que con tanta paciencia tenemos memorizado, siguiendo nuestras enseñanzas, pasando a otro grado. Por haberlo practicado, no hay temor de reprobar. Porque ya estaremos listos y también algo avanzados.

&&&&&&&&&&&&&&&&&&&&&&&&&

Cuando anhelamos algo, y vemos que no ha llegado, y por más que buscamos, no hemos encontrado. Tenemos que esperar, algo mejor nos tocará. Por lo pronto, debemos el camino preparar, estando listos, sin renegar. No es que sea retrasado, todo lo bueno llega cuando tiene que llegar. Así está estipulado, por lo que debemos estar atentos, actualizados y en todos los aspectos, eso sí, muy superados.

Este paso por la vida, tenemos que comprenderlo. Todo es para entender, por ley tiene que ser, tenemos que saberlo, tanto el hombre y la mujer. Negativo-positivo, uniendo polos opuestos, generando la energía, así es como nace la luz. Ni más ni menos; debiendo tener todo controlado, en nuestro interior balanceado. O sea, armonizar perfectamente, cuerpo corazón y mente, sin que nada nos afecte. Pues cuando todo está tranquilo, aquí en lo interior, es que ya está comprendido, vivir como manda Dios.

En esta vida, lo que tenemos, es por merecerlo; hoy en la tierra aquí, pagaremos las cuentas que en un principio no pudimos solventar. Eso tiene que pasar, no debemos olvidarlo, es por eso que hoy, a tiempo los errores tenemos que enmendar, considerando perdonar, aprender, nadie va a enseñarnos, cada quien sabe como, y cuando. Si siente, que quiere de verdad, llenarse de tranquilidad.

La miseria se genera, por la forma de pensar. Las ideas nos torturan, de no tengo, de no puedo, de límites. Y las dudas ahí quedan, dando vueltas nada más, nunca es que valoramos, nuestra gran capacidad, permaneciendo así doblegados, sintiéndonos derrotados, antes de intentar, llegar a la meta, sin nuestro propósito alcanzar.
Cuan diferente sería, si tuviésemos la fuerza y adueñarnos de la mente, elevando hasta la frente,

poder ver más allá de las narices, lo que tenemos que hacer, estando ahí a nuestro alcance, que sólo por ignorantes, no hemos sido capaces de creer, que podemos tener, y de nada carecer.

&&&&&&&&&&&&&&&&&&&&&&&&&

Debemos aprovechar, ya no desperdiciar esta oportunidad, o que estamos buscando, es que estamos esperando una buena sacudida, no basta con el jalón de orejas, que a veces nos da la vida; siempre hay una salida si usamos la inteligencia, debiendo hacerlo hoy. No esperando el mañana, para construir y decidir el camino. Elegir vivir hoy, dejar los malos hábitos a un lado, todo eso que nos ha dañado física y mentalmente. Comportarse, ser y tratar a los demás, como quisieras que fueran contigo. Si quieres amor, ama. Si quieres paz, bendice. Si buscas bienestar, procura. Si deseas prosperidad, comparte. Y lo mejor, si sabemos perdonar, estaremos perdonados. Hacer esto, lo debido, por estar en este mundo, y así seguro, nuestra gloria, ganada la tenemos.

&&&&&&&&&&&&&&&&&&&

¿Por qué será? no me explico, cómo dejamos simplemente que pasen así, sin pena ni gloria, las etapas importantes de nuestra vida. Cuando cambie me pregunto, cuando dejé esa niñez, qué pasó con ese candor, con esas ilusiones. Donde está esa alegría que nos debe caracterizar, para vivir con toda la intensidad, abriendo paso, seguir adelante, luchando contra los obstáculos y barreras, con que pudiésemos a veces tropezar. ¿Qué pasa? ¿Por qué ésta nuestra actitud?, ¿A que se debe ese comportamiento?, tenemos una inquietud, será algún resentimiento, que no nos deja vivir en libertad, para sacar lo que en realidad debe aflorar, la vitalidad, la fuerza espiritual que somos. Es que vamos, caminamos, pasamos uno al lado de otros, como cosas, cada quien ensimismado en su propio mundo, ni un saludo, ni una sonrisa, estamos endurecidos. Y así nos sentimos bien, encerrados, aprisionados con nuestros propios conceptos, e ideas que lastiman el alma, así como nuestro propio corazón. Por qué, y cual será la razón de estar así, en esta situación, sin tener compasión, por lo menos de uno mismo, sin buscar solución a este pesimismo.

&&&&&&&&&&&&&&&&&&&&

Esto no está bien, ya que, no nos damos cuenta, que así, arrastramos y perjudicamos a los seres que conviven con nosotros, a los que nos rodean, y que de ninguna manera, tienen por qué pagar otros errores ajenos. No hay derecho, a nadie corresponde sufrir por mí. Si yo mismo, no tengo ningún interés en reformar y cambiar mi manera de ser; lamentablemente, el cuerpo es el que absorbe todo lo que la mente genera, esa negatividad, y al paso del tiempo, el físico lo resiente, y vaya que no es mentira, siempre lo tiene presente, y es cuando no responde, a veces no es por la edad, pues siendo aún muy joven no tiene vitalidad. Es lo que llega a pasar si se pierden esas ganas de luchar, sin saberlo castigamos nuestro cuerpo, hasta dejarlo decrépito. Esto es, por no encausarnos y olvidarnos, que debemos fomentar, nuestra vida espiritual.

También hay algo importante, y vale subrayar, no es por lo que uno come, o algún ingrediente lo que nos daña, pues nada nos hace mal. Mucho menos si todo es con medida, educando nuestra mente. Hay que ser concientes, no nos debemos enviciar. Esto muy en cuenta tomaremos, al apreciarnos, valorando ésta, nuestra propia vida, la que día a día, nos corresponde cuidar. Mas nunca dejar llevarse por ideas negativas, defendiendo con energía, para no dejar entrar a empañar nuestra armonía, o una guerra desatar, que puede condenarnos, viviendo con los horrores, con fantasmas alternando, y lleven a perdernos en total oscuridad. Y por esto, espero, nadie quiera pasar. Pues sería difícil regresar de esa mala experiencia, que nunca podrá olvidar; por eso, es mejor vivir en el camino de luz, poder afianzar cada paso, que vamos dando, siendo nuestro caminar seguro, para no resbalar. Pues qué caso tiene fallar, si al final de cuentas, siempre sale la verdad. ¿A quien tratamos de engañar? si dentro de nosotros mismos, somos aquí, el bien y el mal. Dividimos y restamos, sumamos y multiplicamos, esas cuentas a quien damos, somos jefes empresarios, de nuestro propio vivir, y debemos exigir que el balance cuadre exacto, y así la ley del abstracto, nos permita competir, siguiendo con la trayectoria y al final de nuestra historia, tener un buen porvenir.

&&&&&&&&&&&&&&&&&&&&&&&&&&&

Entender la vida debo, cambiando mi religión, no, claro que no; no es la solución. Cuando hay un solo Dios, pero eso sería buscar mi propia satisfacción. Por lo tanto, lo mejor es pedir y buscar la luz, aquí en el corazón. Ahí está la mejor orientación. Es lo que debe hacerse, si vivo para crecer, un solo credo tener, mientras voy en mi camino, para mejorar por el bien de mi destino, preocupándome por mí mismo, sin juzgar a los demás, en cambio si necesitan, tengo el deber de ayudar.

Eres dueño de tu vida, y ¿quien puede negarlo?, y también muy respetable, tu manera de pensar, tus ideas, lo que creas de tu posibilidad; lo que si espero sepas, si esa será tu verdad.

 Esto es lo que me pregunto, cuando veo la realidad, son tantas contradicciones las que tengo que pasar, y vueltas doy a lo mismo; sé que tengo que luchar, borrando todo espejismo, venciendo al antagonismo, mi fe tiene que ganar.

Así viendo también, que todo soy yo mismo. Que en mí debo hacer el cambio, quitarme la venda que no deja mirar, lo que tengo aquí muy dentro, poder respirar ya, esa fragancia exquisita, que no puede compararse nunca, con nada en el mundo, aquí fabricada, siendo la esencia bendita, única e inmortal.

Si Dios ya nos dio las armas, por qué tengo que esperar, pasarme esas madrugadas, mi llanto sin controlar, y con ese sufrimiento, no quiero quedarme; que pena me daría, llegar con las manos vacías. Esta oportunidad, no dejaré pasarla, con este talento hoy, aquí, mi huella quiero plasmar.

Tener plena convicción, de la grandeza que eres, poniendo todo en acción, consiguiendo lo que quieres. Sin falsas modestias, demuéstralo, sin que nada pueda interrumpir tu carrera, debes de seguir, poder subir hasta lo alto, solo recuerda esto; ya todo, dependerá de ti.

Por eso sigue adelante, nada te detendrá, si tropiezas tienes alas y brazos para escalar. No te detengas por nada, si quieres vas a llegar, tienes la resistencia, seguro así no fallaras. Mirar siempre arriba, de frente, no voltees hacia atrás, el compromiso es contigo, debes considerarlo, llevando en alto tu bandera, atrévete a triunfar.

&&&&&&&&&&&&&&&&&&&&&&&&&&

La salud es lo primero, tanto física y mental. Si triunfar es lo que quiero, hoy tengo que aprovechar. Las ideas en la mente sé que debo proyectar, sujetando fuertemente de manera inteligente, llevando hasta conectar, directamente al subconsciente y así poder conservarlas con firmeza, determinando paso a paso, lo que quiero y sé que puedo hacer, así se manifieste, aquí en la realidad; esto es utilizar, nuestra gran mentalidad, todo lo bueno que pensemos, si, podemos lograrlo, siempre que no perjudiquemos a nadie, en armonía se nos dará.

Proponerse es querer, más si tengo tanta fuerza y energía negativa, por qué no convertirlo y me vuelvo positiva. Esto es como pasar, de la negra oscuridad, a la bella luz del día.

Es una sola, es la misma energía, la única que nos llega a todos los seres, la vida universal. Esa fuerza que nos mueve de manera individual, y así cada cual se adueña, para poderla ocupar como mejor le parezca, pues si quiere en poco tiempo, puede gastarla, o si lo piensa mejor, también puede atesorarla, usándola poco a poco, según la necesidad. Vida tan valiosa y necesaria, se los puedo asegurar. No valen tantas razones cuando es elemental. Porque, qué caso tendría, ver materia gris, fría, y la tierra árida, vacía, nada pues existiría, solamente reinaría la más grande soledad.

Esto es sólo mi pensar, por lo mismo quiero actuar, para rescatar buscando entre los escombros, lo que no supe guardar. Y ahora que se valorarlo, así están, porque aún yo no creía, que todo esto que yo hacía, tenía que cargarlo, y tanto pesa en mis hombros, que ya quiero descansar. Por lo que hoy, buscando estoy la salida, quiero liberarme. Aún puedo caminar, no me daré por vencida, lucharé por mi lugar, donde debería estar, ahí donde sanará, cicatrizando ya mi herida.

&&&&&&&&&&&&&&&&&&&&&&&&

No es el caso subsistir, por qué conformarse con sobrevivir, somos quien para elegir, y dirigir si queremos, alcanzando nuestros sueños, todo lo que necesitemos. Luego entonces ¿por qué sólo vemos que nos alcance para mal comer, calzar y vestir a medias? Eso sería lo de menos, cuando lo más importante es ir, ver hacia delante sin que nada nos espante, tenemos que recordar, no creer en imágenes, esto es algo interesante, hay que saber cuál es la verdad. Pues esto quiere decir, si nos dejamos llevar, la mente puede jugar y empezamos a dudar. He ahí la falsedad. Si creemos llegaremos, con la fe navegaremos contra viento y marea; este ejemplo lo tenemos, caminar sobre las aguas, si queremos, seguro que podemos.
El camino, la verdad y la vida; aún no comprendemos, más debemos practicar, tratar de entender lo que nuestra mente genera, si tú no eres capaz, al remolino te lleva, haciendo de ti lo que quiera. No esperes suceda, toma ahora el control, sin preguntar qué tiempo queda, funciona bien el motor, eso es lo mejor. Tienes que ser decidido, no se vale titubear, estas expuesto a chocar, más grande es tu voluntad, y con la seguridad, tú sabrás donde llegar, por todo tu bienestar.

Las creencias que tenemos, sólo es, por lo que vemos, nos pasamos repitiendo siempre lo que oímos, y no deberá ser así. Tenemos que corregir ya, nuestro diario vivir, formándonos un criterio propio, cuerdo, que nos ayude a salir de las sombras, de lo mismo. Buscando ese resurgir, lo que está dentro de ti, esa autenticidad. No tenemos que imitar a nadie. Cada quien debe ser normal, sin caretas, con las ideas concretas, hasta llegar a la meta.

Es fácil hablar, decir, a veces sin pensar. Se deben analizar las cosas, lo que pasa por nuestra mente. Si soy débil o soy fuerte, canalizando lo no conveniente, o puede dañarme. Se que debo trabajar con esto. No tengo por qué dejar, me consuma la negatividad. No debemos permitir, nos confunda la bruma, ¿a donde podemos ir, si no vemos huella alguna?, así no debemos vivir, por falta de crecimiento, sin ese aliento que nos ayude a seguir. ¿Y a qué debo recurrir entonces?, ¿a quien le puedo pedir?; esa es la disyuntiva aquí en nuestro existir; nos complicamos la vida, por no saber elegir, la puerta que es correcta, la que debe conducirnos al camino indicado. Pues si traemos la llave para abrirla directa, siendo nuestra, y nada cuesta, cuando actuamos con la propia inteligencia.

&&&&&&&&&&&&&&&&&&&&&&&

La vida siendo un regalo, no para desperdiciarla, ya que ésta, nos fue dada, tan frágil – delicada, tenemos que conservarla, también siendo sagrada, debemos cuidarla, que nada pueda perturbarle, mientras tenga que llevar a cabo, la realización de esta gran humanidad, a cumplir esa misión, y así poder llegar, a su destino final.

¿Por qué te sientes pequeño, si del mundo eres el dueño?... No debes olvidarlo. Y no te quedes pensando, no es lo que estas mirando, que debes valorar. Más bien, deberías analizar, buscar por dónde, y comenzar; lo primero, encontrar el camino, la verdad, dando el primer paso, sin distracción llevando bien la dirección, pues una equivocación te conducirá al fracaso. Se que este, no es tu caso, tienes preparación y fuerzas, para no dejar caerte en alguna tentación. Recuerda que tu misión, no deberá quedar a medias. Sigue sin interrupción no te entretengas.

Y es que tiene más valor, lo que tú llevas ahí, en el corazón. No te detengas, abre paso a la razón, en ti está la solución.

Cuando encuentres un obstáculo, ojo, piénsalo bien, no creas en mala situación. Es la imaginación, la que nos hace verla, y así perdernos. Pero no dejarse vencer nunca. Si tenemos el poder, sabemos perfectamente lo que tiene que hacerse, precisamente es, aferrarse, afianzarse, renovando nuestra fe. Si aún estamos a tiempo, vamos a despertar a esta vida, no estamos muertos, recapacitando en lo que ahora tenemos, y es nuestra realidad. Por qué entonces no creemos, si tenemos la grandeza, nuestra espiritualidad, la que llevamos presente, aunque no se pueda ver.

Por lo que debe ser, lucharemos, nunca más permitiremos tanta banalidad. Con la fuerza venceremos, para nuestro espíritu reforzar. Y con fe mover montañas, haciendo a un lado las cosas mundanas y el apetito carnal. También hacer conciencia, lo que daña, que nada vuelva a molestarnos.

&&&&&&&&&&&&&&&&&&&&&&&&&&&

Tapar el sol con un dedo, a veces queremos hacerlo, como puede ser posible, nunca esto lograremos verlo. La verdad es aquí, obvia, tangible, sin poderla evadir.

¿A donde vamos, a donde queremos escapar, cuando pensamos que ya no podemos más? Es la conciencia, que quiere quitarse todo, eso que ahora viene a torturarnos, lo que pesa. Es el momento, cuando aún hay tiempo de considerar, cuantos errores llevamos dentro. Si podemos reparar los cimientos que están en ruinas. Y si se podemos limpiarlos, por qué esperar entonces.

Aquí ahora, estamos, pero titubeamos, pues no sabemos por donde comenzar. No hay entrada, no hay salida, por donde caminar.

Con tantos escombros, oh, y estorbarnos, que pasa, nos da miedo entrar, ya que eso, sería lastimarnos, abriendo heridas, recordando lo que hicimos, esa falta de lealtad con nosotros mismos, cuando esos principios no supimos aplicarlos. Por eso mismo así, nunca estaremos en paz. Entonces no debemos quejarnos. Pero tampoco, podemos dejarlos así, en tal situación, si no queremos empeorar; lo mejor entonces, tratar de encontrar la manera, enfrentando las cosas con valentía. Si de verdad vale la pena reivindicarme, no quiero ensuciarme, ni lastimarme, por lo que hoy, debo actuar, aún así, comenzando por aquí, lo que tenga más cercano, y seguir, hasta conseguir que mi mente se aclare completamente, rescatando y sanando mi alma.

También así, aprovechar, reformarme, ayudarme. Buscando en las enseñanzas, en lo que ahí está escrito, lleno de esperanza y sabiduría, que me llene, sobre todo practicando. Que no hable por hablar. A nadie quiero demostrar lo que tengo o lo que hago. Eso no debe importar. Pero si, quedando claro, será mi responsabilidad, si es el camino adecuado, el que hoy tomaré. Ya no quiero equivocarme; quiero llegar, quiero ser, sobre todo reconocer, y comenzar ganando mi propio espacio para crecer, teniendo esa madurez continuando así ahora, con más claridad, viendo perfectamente, sin detenerme, teniendo más cuidado y no caer.

&&&&&&&&&&&&&&&&&&&&&&&&&&&

Fármaco-dependencia.
Pero que gran insolencia, a todas esas virtudes.
Ese tesoro sagrado, divino. Juventud. Porque se ha desperdiciado, en aras de la inconciencia, tomando un camino equivocado. ¿Quien es culpable y no haber guiado correctamente, dejando todo a la suerte? y así fuera directamente, a una falsa salida que conduce a la pendiente, ahí rodando, solamente viendo que va, ensuciándose cada vez más; sin querer parar, aunque ya tocando fondo está.

Es una lástima todo esto, la verdad. ¿El futuro en manos de quien estará? ¿Qué podemos esperar? ¿Hasta cuándo vamos a despertar? Es tan grave esta falta de responsabilidad, no reaccionar ante nuestra propia debilidad.

¿Por qué necesitamos un estimulante nocivo? ¿Acaso completos no hemos nacido, sin fuerza para pensar? ¿Tal vez somos marionetas que no tienen voluntad?

No es que quiera comparar. Pues lo peor, es verse en un estado lamentable, deplorable, vencido. ¿Por querer escapar, en lugar de buscar la cordura? Estando conscientes, no huyendo de la realidad. Esto es una cobardía, el no aceptar, esa tarea de crecer y obedecer, tal como debe ser; descubriendo paso a paso, por sí mismo, que puede con el deber, disfrutando cada etapa como lo marca la vida, y sobre todo vivir en armonía. Porque si tú lo quieres, así por siempre puede ser. Sano libre sin depender.

No vamos a engañarnos, la mente debemos dominar, de no hacerlo, mira lo que puede pasar, hasta donde le hemos permitido llegar. Las pruebas ahí están. Es por nuestra indiferencia, que está perjudicándose lo bueno, esa inocencia, y no debemos tolerarlo, no sigamos ayudando a fomentar el mal, causa de tragedias, contagiando a nivel mundial.

&&&&&&&&&&&&&&&&&&&&&&&&&&&&&&&

ANTES DE LA VIDA, DESPUES DE LA MUERTE···
No hay futuro, no hay presente. En un lapso contundente, que separa más que nada, la ausencia de sentir....Pero aquí, hay que admitirlo, y este, es el sueño eterno.

Para llegar, sabemos cuando será, por el tiempo de gestar, exactamente la fecha, en que se deberá alumbrar. Pues establecido esto está, y naturalmente permitido.

Pero cuanto va a durar, sigue siendo un misterio, ese día, esa hora. Solo que llegará, y será, el último minuto, acabando esa historia, con ese punto final. Un suspiro que se ahoga. Llevándose en la memoria, la felicidad que pudo lograrse, o por el contrario, una carga de pesar. Aquí ya nada se sabe, es lo mismo, volvemos de nuevo, comenzando desde cero. Donde empieza, donde termina...

Ésta es la eternidad, donde forzosamente nos tenemos que ausentar, para alternar a veces, pues es necesario cambiar de ruta, de acuerdo a nuestra evolución, más arriba, o más abajo. Dependiendo, donde nos tocará estar en el mundo, ya que cada quien así, se ha ganado lo que tiene, y ese lugar donde hoy viva.

Esto, creo lo entendemos más o menos. Pero ¿morir?... nunca lo sabremos. A quien le preguntaremos··· ¿Será verdad que dejamos de existir?...

&&&&&&&&&&&&&&&&&&&&&&&&&&

Como rezamos, como pedimos···
¿De qué manera nos expresamos al elevar nuestras plegarias? si no pensamos lo que decimos, ahí, en ese momento, solamente el sentimiento, lo que deseamos pues y queremos que se realice, que se resuelva, o algo que nos beneficie llegue. ¿Por qué razón – motivo, cada quien a su manera, del cielo espera respuesta? pero lo que si yo digo, también lo que debe ser, confiar, tener esa fe ciega, creer lo que en verdad es, agradeciendo antes de ver aparecer, y se manifieste esa petición nuestra.

Aquí cabe hacer mención, todos sin distinción, somos hijos muy queridos, de un padre poderoso y por demás generoso, que nunca nos niega nada. Sólo espera la llamada, hecha desde el fondo del corazón, con alegría y gozo, la plena convicción, de que nos concede a entera satisfacción, por la visualización en armonía y nuestra propia razón, de convivir y compartir, siendo mejor cada día.

Ahora creo también, es un error calificando mal, dando nuestra propia versión, dudando, diciendo que, "si quiere", cuando debemos decir, con el favor, "si se puede", confiando. Pues sabemos, que EL es amor, el único dador. Entonces ¿por qué pensar que Dios, debe castigar a quienes se portan mal?, que no merezco, eso que quiero y necesito.
Esto ahora lo repito, así no debe ser. Siendo nuestros propios errores, los que hacen padecer.
Pensar lo bueno se da, todo es cuestión de fe, y a nadie desearle mal. Aunque veas adversidad, dilo, decreta que todo está bien. Es lo que Cristo enseñó, cuando vino a predicarnos, con humildad y con hechos demostró, a tanto enfermo sanó, hasta ciegos la vista devolvió, también a Lázaro revivió, porque sabía la verdad de la gran mentalidad, que nuestro padre nos dio. Esa espiritualidad.
Así que, por medio de la palabra, se va dando todo lo que vamos forjando, en nuestro trayecto por la vida. La actitud, nuestro sentir se manifiesta, el desánimo conduce cuesta abajo, a la derrota. Tú, domina, el ánimo cuesta arriba. Siempre invencible, victoriosa, llenos de fe, llevemos nuestra antorcha encendida.

&&&&&&&&&&&&&&&&&&&&&&&&

Así bien acompañados, nunca debemos dudar, que tenemos, que podemos, no existe la soledad; en toda nuestra existencia, siempre vigilando está, y cuando necesitemos, sólo debemos mirar ahí, arriba, tiene su mano extendida, y todo lo que pidas, ya lo sabe y proveerá. Por eso la humanidad, siempre vive agradecida. Por los siglos de los siglos, así sea, y será.

Auto–examen, valoración.
Pongo a consideración esta medicación, para cambiar los patrones, que venimos arrastrando desde otra generación, lo cual, está obstaculizando una preparación, por un cambio de total renovación, que nos ayude, alcanzando esa independización.
Es importante cambiar. Buscar la liberación, el espíritu es libre, no debe estar en prisión. Tenemos la obligación para con nosotros mismos, de velar, e intentar ser, viviendo nuestra verdad, sobre todo, respetando cada quien, su propia AUTENTICIDAD.

PORQUE SOMOS UN REFLEJO

SI PODEMOS HACER MÁS.

PORQUE SOMOS CONFORMISTAS

Y NO QUEREMOS PROGRESAR.

Esta, es una tarea que a ti, quiero dejarte. Y pasando a otro tema, espero no quieras echar todo esto, en saco roto. Lo bueno desperdiciar. Total, sería ya tu problema, no querer aprovechar. Vivimos en un dilema, por no saber apreciar, pensando en el que dirán, viviendo de opinión ajena, o de una sociedad, que juega a su antojo, con nuestra voluntad.

SOMOS ANONIMO, MIENTRAS NO HAY IDENTIDAD.

&&&&&&&&&&&&&&&&&&&&&&

Cuántos se han equivocado, al no saber discernir, cuando se han emocionado, y pudieron confundirse, el haberse enamorado. Hoy pueden decirlo, a quienes les ha pasado, y por supuesto que sí, pues tuvieron que cumplir el compromiso forzado, con el cual hay que vivir. Aunque sea un poco pesado, tienen que resistir, al convivir diariamente; es muy elevado el precio de este pago, todo por no pensar inteligentemente, nos dejamos arrastrar por la corriente, llevándonos cuesta abajo, a su manera, si no sabemos nadar, si no supimos luchar ¿qué nos queda?. De verdad es una pena. Tenemos que reaccionar, o lamentar la condena, no teniendo un lugar, de un lado a otro vagar, y de pesar, sólo se oye lamentar, pues nunca se podrá ya, el tiempo regresar.

Una pareja formada, consolidada, precisamente por su amor, unida de mutuo acuerdo, porque nada ni nadie los obligó; la ley pues, llama contrayentes, para eso se formó, y ahí estando presentes claro, sus obligaciones, el juez les manifestó. Los dos así, se aceptaron y por lo mismo, firmaron ese documento por escrito, que los comprometió. Que de ahí en delante, de sí mismos cuidarían, que se respetarían como pareja y para siempre formarían, que también caminarían juntos, como hoy en armonía, y todos sus compromisos adelante sacarían, a pesar de los caminos por donde tendrán que pasar; en bajadas y subidas, siempre se apoyarían, pero ninguno flaquear, mucho menos olvidar, que hicieron un pacto de unidad también, ahí en el altar, y ante Dios un juramento, nada lo podrá borrar. Debemos pues aclarar dudas, antes de comprometer, verán que es diferente, el amor y el querer.

Por eso mucho cuidado, el amor no se puede equivocar, cuando dices que has amado, tiene que ser y es verdad. Busca en el diccionario, porque diferentes son, las palabras relevantes, compromiso y otra una obligación.

No hables sin hacer comparación, asegúrate al actuar y no te dejes llevar, piensa, ubícate en la razón; hasta dónde llegarías, si a la ligera tomas una decisión, sobre todo saber, tal vez ésto, el futuro te perjudicaría. Aquí pasa lo mismo, si sientes una emoción, por la etapa en ese momento, se convierte en obsesión. Espera que estés preparado, en tu punto madurado, será como lo has deseado, y lo mejor de la vida verás, que te ha tocado.

&&&&&&&&&&&&&&&&&&&&&&&&&

El soportar no es amor...

Amor es aceptar tal cual, sin lamentar, por lo mismo de estar en la situación de bienestar, con uno mismo, para cumplimentar, cuando se adquiere ya el compromiso, brindándose apoyo en el momento preciso.

Amor es caminar al par, sin escatimar la solidez, sin reprochar tal vez, algo insignificante, que parecía estar mal en ese instante, siempre puede pasar, pero nunca va a durar, por lo que no caeremos, en ese abismo que pudiese provocar esto, fracasando. Y que de antemano, supimos preparar nuestra formación, con lo más elemental.

Amor es dar, sin esperar nada más. Lo sabemos bien, luego entonces, debemos concretarlo, satisfaciendo con esto, cualquier necesidad.

Pues por amor, aquí estoy, por el amor yo soy, la grandeza, la belleza, la luz y la verdad.

Amor es, intensidad, la fuerza, para cambiar el color gris en rosa; porque cuando estás enamorado, no piensas en otra cosa, sólo ver al ser amado, siempre cerca, sonriente, sin defectos, perfecto. Por estar en ese estado, con esa mentalidad, tenemos idealizado y así debemos llegar, hasta cumplirse, viendo realizado el sueño tan anhelado: "y vivieron para siempre felices"···

Así es, el cuento ha finalizado bien. Pero ¿Qué pasa? ¿Por qué antes de tiempo se termina y cada quien por su lado, con la disculpa tan fácil: "es que estuve equivocado"? Que bueno reconocer también. Si es que nadie ha salido dañado, se pueden restablecer. Difícil es entender, que paguen las consecuencias, por una equivocación, por ese grandísimo error, alguien, o quien nada tiene que ver, en tan triste y cruel condición, sin excusas, por causar este dolor y sufrimiento. Todo por haber precipitado un acontecimiento. Ya que aún no tenían madurez, por lo cual fallaron en su elección. Estando fuera de tiempo.

&&&&&&&&&&&&&&&&&&&&&&&&&&&&&

El matrimonio perfecto, que por mandato divino se tiene que celebrar, cuando no se tienen dudas, entre dos que se comprenden, y precisamente entienden, que ya pueden realizar, la unión con lo espiritual, que deberá compactarse, para nunca separarse. No me estoy equivocando, porque hoy estoy hablando de mi cuerpo y de mi alma. Ya con toda calma, reafirmar quiero mis votos, revalidando también, esta fe que llevaré, donde quiera que yo ande, cumpliendo lo que juré, y fiel siempre le seré.

Es lo que debe hacerse, si ahí, ante el altar, llegamos arrodillados, pidiendo velar por estos nuestros valores, procuremos agradar, llevando nuestra ofrenda; recordando que esto es, una ceremonia única, sin igual, para comulgar así, con la gracia que nos da, nuestro Padre Celestial.

Al hombre perfecto, Dios lo ha creado···
Viendo que el paraíso terminado estaba, pero dijo, vio que algo aún faltaba. . Y así lo hizo. . Ahí estaba. . Con el soplo de vida ya bien formado, bello y fuerte, a la creación un monumento.

Pero satisfecho todavía no quedaba... Y así también lo quiso premiar. Diciendo: de un costado sacaré y de ti mismo parte. Tu complemento será y la más valiosa, bella– obra de arte.

Para siempre así, nació la mujer, con toda la perfección. Mujer, parte fundamental, preparada, de apariencia frágil, delicada; más con un gran corazón; es así, como inicio esa consumación, que se hizo tradición, de la pareja formada como lo manda el Señor, y véase propagada la raza, aumentando esta especie, humanamente perfeccionada.

Mujer··· Única, sin igual, complemento de la línea vertical, formando la cruz especial, con esa línea horizontal, aquí representada, como una señal directa para esta humanidad, y poder guiarnos confiadamente, por el sello universal, que estará al frente, en la parte superior en todo lugar, así SIEMPRE COMO HOY, VENERADA Y RESPETADA.

&&&&&&&&&&&&&&&&&&&&&&&&&&&&&&&&&&&&&&&&

DE QUÉ SIRVE VESTIR Y CALZAR, ESE ROPAJE TAN FINO,
SI PARA LOGRAR TUS BIENES, HAS TORCIDO TU CAMINO
.

Y QUE ORGULLOSO ME SIENTO, SI NO MIENTO AL DECIR:
ESTO YO LO CONSEGUI, CON EL SUDOR DE MI FRENTE.

ES CUESTION DE DISCIPLINA, EL VIVIR HONRADAMENTE
SI ESFUERZO NO SE ESCATIMA, TENIENDO LA VOLUNTAD.

EL HÁBITO NO HACE AL MONJE; ES SU VALOR, LA HUMILDAD.

NO TODO LO QUE BRILLA ES ORO, LO PODEMOS CONSTATAR.
LO QUE VALE ES COMPORTARSE, CON TODA SINCERIDAD.

Y todo esto que finalidad, es el misterio que quiero
descifrar, hasta llegar al conocimiento de mi propia
humanidad; estoy en busca de mi bienestar, del
entendimiento extenso y total de lo que soy, que para
mí, es importante aclarar. Por esto, de pies a cabeza
debo examinarme, ya que con el auto—análisis, se que
puedo lograrlo, mirando el rincón más profundo,
explorando todo internamente, y así descubrir mi
auténtica personalidad. Ese enigma que hasta hoy, ha
permanecido tras la cortina de humo, que pronto
espero, se desvanecerá. Todo es mentira, mientras no
se descubra la verdad; siendo esta ignorancia igual que
la oscuridad, pues vamos caminando y por ir
tropezando, no alcanzamos el avance a tiempo,
sintiendo la necesidad de que termine todo esto,
queremos ver la luz, despertarse ya; por lo que a veces,
eso hace desesperarnos. Y es aquí precisamente, en
este momento, cuando debemos la calma guardar.
Porque es dentro de uno mismo, donde está la claridad,
tenemos que saber como utilizarla, aprendiendo más
que nada, lo importante y necesario que es valorar

nuestra vida, nuestra propia existencia. Por lo que ahora, con mi propio yo, quiero encontrarme. Saber cuál es mi camino, asegurarme, saber de dónde he venido y a dónde debo llegar. Que a fin de cuentas, lo mejor es, ese crecimiento espiritual. La paz, el bienestar del alma, se puede, si quiere lograrse.

&&&&&&&&&&&&&&&&&&&&&&&&&&&

A este mundo no pertenecemos. Sólo se nos ha permitido por un lapso suficiente, convivir diariamente, para vivir así como la gente, cumpliendo su gran misión cada quien independientemente, pero no permanente; pues debemos acatar ordenada y disciplinadamente de manera inteligente, haciendo uso de este don, para no sufrir y poder partir concientemente cuando su tarea acabó, a sabiendas que si cumplió orgullosamente, con la satisfacción, alegría y dedicación; poder merecer así su ascensión. Claro, todo sería más fácil, con la clave del amor.

Desde hoy, aquí estoy cambiado, dispuesto a escuchar, por cierto, ya estoy despierto, por eso vengo buscando ese lugar, del que tanto he oído hablar, esa tierra prometida, la eternidad. Donde todo es vida, aquí nadie morirá, nada me faltará, la paz aquí siempre reinará, no hay violencia ni maldad, porque aquí está la verdad, y puede disfrutarse. No existe la soledad, nada va a preocuparte. Todo es abundancia y prosperidad. Es tan bello este lugar, siempre feliz estarás, puedo asegurártelo, pero lo que más te gustará, no existe tiempo ni edad, siempre joven te verás. Además, tu hambre y sed saciarás, con el más exquisito manjar, que puedas recordar haber probado, del chef más calificado. Aquí, todo es bienestar, nada puede

extrañarse oyendo esa música celestial. ¿Que más podemos desear?
En este lugar, quiero encontrarte, y viendo a todos reunidos llenos de felicidad. A ti, hermano querido, mi amigo, mis padres, mis hijos, parientes, también a mis descendientes y conocidos, a toda la humanidad por igual. Vistiendo sus mejores galas, conviviendo en este paraíso con sus vestiduras hermosas llenas de luminosidad; formando esa bella y gran hermandad.

&&&&&&&&&&&&&&&&&&&&&&&&&

¿A que he venido a este mundo?, en verdad no he comprendido, si tantas penas yo paso, porque tanto he sufrido. Pero qué es lo que pasa, esta vida aún no he entendido. Por qué tantas injusticias y egoísmo desmedido. Cada quien buscando su propio bienestar, sin importar lo demás, y se cumpla solamente su voluntad, lo que convendrá. No es ninguna novedad, desde ahí, ya comenzando, y que hoy está sembrando, mira bien, eso mismo es, lo que cosechará.

Vale la pena pensar, tratar de ir entendiendo ¿Por qué poco o tanto tengo, que hice por los demás? ¿Acaso será el momento para reflexionar? todo lo que me ha pasado, así tenía que llegar, por lo mismo que he causado, tenía que efectuarse. Mi cabeza es mi mundo y tengo la libertad, soy tan libre como el viento, bien o mal, puedo yo actuar. Pero miren, mucho cuidado que me puedo equivocar, y más, si estoy haciendo a un lado la razón y la verdad. Ya que aquí, estamos hablando de una infidelidad, si no estamos respetando nuestra propia integridad.

&&&&&&&&&&&&&&&&&&&&&&

Porque siempre comenzamos, si vamos a edificar y antes de los cimientos ya queremos terminar. Son estos procedimientos, que deben considerarse.
Por nuestro bien, debemos tener disciplina. Pensando primero en crecer. Llegando a lo más alto de la cima y desde ahí ya ver, que es lo que puedes hacer. Si no quieres padecer, tus emociones, domina, asegúrate muy bien, en lugar de correr camina, cumpliendo con tu deber.

Si en la vida nos quejamos por todo, y nos preocupamos, sin buscar soluciones, así   hasta acumularse, y la carga pesa más, por lo mismo, nunca esteremos en paz.

&&&&&&&&&&&&&&&&&&&&&&&

Crecer, Creer y Ser.
Que tan importante para mi, es saber lo que soy, lo que quiero y sobre todo, sobre mi fuerza y valor, de la voluntad que tengo.
Creer, de verdad es un punto vital para comenzar. Crecer, ahí es, donde no podemos equivocarnos, ser algo o alguien en la vida; pero no estoy hablando precisamente de nuestro cuerpo físico, ya que lo más importante en este caso, es el crecimiento interno, o sea el espíritu, que debe alimentarse de cosas positivas, pensamientos hechos a la medida, de un gran entendimiento. Es esto un requerimiento, si queremos lograrlo; debiendo esforzarnos, por la grandeza alcanzar, y así seremos tan fuertes, que nada nos vencerá.

Por eso, siempre cuidando y velando debemos estar, siguiendo por esta línea, pero siempre vertical. Teniendo los cimientos, donde poder apoyarnos, con un buen crecimiento tanto físico y mental. Esto precisamente, corresponde analizar cuando llevamos la responsabilidad de guiar, afianzándoles ese futuro, además, nuestro deber será que puedan entendernos, lo que nosotros no supimos alcanzar, por querer detenernos antes, quedando por lo tanto en este lugar. Y aquí volver a comenzar.

Ahora bien: niñez, primera etapa, inocencia. Que se aprende, lo que ven, lo que oyen. Dándose idea dentro de su alcance, formándose con eso día a día, y la conciencia va despertando, pues en su comportamiento estamos comprobando como está educándose, por lo mismo que fuimos inculcándole, negativo o positivo, y en ese actuar, memorizado las lecciones que le estuvimos dando, ahí en el mismo vientre, mentalmente mandando nuestro sentir, esas emociones, nuestra forma de vivir; viendo así, que los hijos son propiamente extensiones, repeticiones tal vez para corregir errores en nuevas generaciones, y través de ellos en el futuro existir, sin tantas contradicciones. Este crecimiento es, mejorando el funcionamiento de cada etapa, con el debido mantenimiento y no exigir. Aprendiendo en el transcurso, valorarse, no tratar de brincarse y en armonía seguir perfeccionándose, e ir avanzando seguros, definir y conseguir poder, pero sobre todo··· ser.

&&&&&&&&&&&&&&&&&&&&&&&&

Por lo que hoy, entender quiero, pues esto ya debería saberlo, pero a estas alturas quiero exponerlo. No crecemos, porque nos entretenemos, nos distraemos cuando tenemos uso ya de razón. No valoramos tal vez ese despertar a la vida, tomándolo a la ligera, atrapados en ese medio ambiente, en el que nos ha tocado desenvolvernos, no queremos o no tratamos de ayudarnos, a pesar de ver las circunstancias en las que estamos, aunque hay situaciones que nos agobian, que no aguantamos, pero lo más triste de verdad, no buscar ese apoyo. Por ignorancia de lo que somos. Aquí está, así es, hagamos conciencia, comprendiendo, haciendo uso de nuestra inteligencia, desarrollándola a toda capacidad posible; sin enredarse en la mediocridad, o esclavizarse, mucho menos dejarse dominar por ese cuerpo emocional. Contra todo eso hay que luchar, para que nada pueda perjudicarnos; debemos contar con nuestra voluntad y fuerza mental. Querer es poder, no nos contagiemos por la adversidad. Aléjate, cuidado, y no te dejes llevar.

&&&&&&&&&&&&&&&&&&&&&&&&&&

Cada minuto, cada día, cada hora. Cada quien hace su historia. Y la realidad de la vida, guardando va en su memoria, de un perdedor, o de un triunfador que hoy, se vanagloria.

Caminante no hay camino···alguien lo dijo, no recuerdo quien, esto si que es verdad, se hace camino al andar. Cuando tomar una decisión, implica responsabilidad, pensando correctamente, si es eso, lo que convendría, viendo qué consecuencia tendría, si luego lo lamentaría. Ya que todo bien o mal, en uno mismo recaerá.

&&&&&&&&&&&&&&&&&&&&&&&&

Las vueltas de la vida.
Hacia arriba, en perfecta ascensión, rumbo a la salida. Llevando a cuestas esa carga, aquí vamos, pero antes de llegar a la puerta, en la primera vuelta no aguantamos, nos desesperamos sin tener comprensión, nos cansamos, por no creer en la verdad, no dejando que termine de cerrar el ciclo, sin completarlo. Quedando a medias lo iniciado, por lo tanto envueltos en la mediocridad estamos. Pues cuando hay oportunidades no nos capacitamos. Ese tiempo precioso, lo ocupamos en hacer cualquier otro negocio, una tarea diferente, que ni es conveniente y menos haciéndose socio. No se trata de apostar, es por la seguridad de tu propia vida debiendo reforzarla cuando uno siente flaquear, evitando con esto una penosa caída. En la realidad me dirás, sabes que no es sencilla esta cuestión. Comencemos pues, por arriba, o sea desde el principio e ir aclarando lo anterior aquí expuesto. La luz es la claridad, la podemos observar en cada amanecer, cuando saliendo está el sol. En cambio el anochecer, por eso se llama oscuridad, nada se puede ver. Esto no es para creer, siendo un hecho esta manifestación, entonces ¿por qué será? ¿Cuál será la explicación, al querer retroceder?, todo por cuestión de no saber valorarnos, dejando aflorar, una contraria reacción al actuar sin pensar, pero tenemos justificación, o eso, es lo que creemos.

&&&&&&&&&&&&&&&&&&&&&&&&&

Si hoy sientes, o tienes alguna pena, busca, encuentra la manera para solucionarlo; todo se puede, nada más con intentar buscar el camino, la salida, no te quieras enfrascar. ¿Y como? Tu me dirás eso, ¿si no estás en mi lugar?, precisamente, yo no espero, ni quiero así por lo mismo pasar, lo que si te aconsejo, tener fuerza de voluntad, no cargando esa condena, que puede lastimarte y de por vida tengas que lamentarlo. Nadie puede ayudarte si no quieres, y si lo prefieres, eso siempre va atormentarte.

&&&&&&&&&&&&&&&&&&&&&&&&&&

Por qué no considerar entonces, viendo la forma y lograrlo, mejorando la estabilidad dentro de nuestro cuerpo.

Tratando de armonizar, ordenar y organizar la mente, obedeciendo únicamente, órdenes convenientes, renovando completamente una situación fatal. Con motivación tan grande, que ese ánimo pueda elevar. Borrando toda idea, tanta negatividad, eso que va sepultando lo bueno, de provecho, que no sabes valorar, sobre todo, buscando el lugar que corresponde.

Teniendo ese poder, cambia, nunca aceptando migajas, cuando se tiene manera de rebanar el pastel, comiendo todo lo que quieras, además saciar tu sed; sin olvidar primero, contigo mismo ser sincero. En ese estado no encajas, de servidor o lacayo, cuando te toca ser Rey.

Y esto que nos pasa, no tenía que sucedernos, si antes de dar un mal paso, diéramos un repaso a lo que vamos hacer.

Aún nada hay establecido, las reglas debes imponer. Esa meta, ese camino, síguelo, guíate. Llevando tu carro derecho, nunca deberás torcer, ni orillarte por un momento, cuidando tu cargamento, no quieras detenerte. Pensando mejorar siempre, siendo tu propia responsabilidad, si quieres llegar bien, no culpando al destino, puesto que si a ciegas vamos, o nos descuidamos, claro que podemos perdernos en el camino.

&&&&&&&&&&&&&&&&&&&&&&&&&

Al venir a este mundo, llegamos todos a vivir, como dicen por ahí, nadie sabe, preguntándose ¿por qué nací?, haciendo comparaciones, viendo cuan disparejo es esto, en diferentes situaciones, surgiendo entonces tantas reclamaciones, pensando no es justo. Pero lo que no sabemos, que lástima, que tristeza; para eso venimos, nosotros somos la solución, en diferentes misiones cada uno y poder ayudar. Pero, siguiendo esos mismos patrones ¿a donde vamos a dar?, enredándonos cada vez más, en lo que aquí vemos, estando igual o peor.

Traemos tanta grandeza, tanto poder. Y todo por no creer, así estamos esperando y nada puede hacerse. Como niños caprichosos, queremos todo, con un padre generoso, juguetes buenos, caros, tiene que concedernos, pero que pasa y pronto lo descompone, echándolo a perder; aunque siga dando lo que le pida, igual seguirá maltratando las cosas, porque aún no puede entender, teniéndolo todo, lo mejor, siendo el hijo consentido, se la pasará jugando sin conocer el valor, sin saber cuidar, al no tener la edad ni capacidad, seguirá malgastando cuanto le dieran; es lo mismo, de qué sirve si no captamos, estando en la ignorancia, siempre así será. Debiendo tener cuidado con esa mentalidad, haciendo a un lado lo que no sirve, que nos estorba, rescatando pues nuestras habilidades; hagámoslo, valoremos, sobre todo esa verdad y lo que tenemos, y que es, esta gran responsabilidad.

La mente cual espejo fiel, reflejará como le ha sido ordenado, y lo mismo, aquí materializado veremos manifestado.
Al enviar pensamientos limpios, buenos en todo momento, sin ningún resentimiento, volarán igual que el viento, sin dudar llegarán, cumpliéndose el procedimiento, y sin pedir consentimiento, volverán trayendo ese cargamento, con la consigna igualar, o mayor será su devolución. Ahí verán, que no es lo mismo deber y dar sólo por obligación. Así por esto, tenemos que pensar positivamente, actuando

correctamente. Mas nunca diferenciar, dando de buena manera a tiempo. Sobre todo, mejorando nuestro comportamiento...

&&&&&&&&&&&&&&&&&&&&&&&&&&&&&&&

Si piensas que este mundo, tu destino, es un camino lleno de piedritas, siempre tropezaras.

Si quieres ser un triunfador, debes tener actitud, sobre todo demostrarlo, si puedes, desde un principio escalar, subir sin sentir fatiga, no esperando y alguien te lo diga, no quieras depender o sentir desaliento y decidas bajar. Cada quien puede lograrlo, de acuerdo a su entendimiento, o por capacidad también, teniendo empeño, venciendo de acuerdo a su voluntad cuando ésta sea de hierro. A veces dejamos pasar grandes oportunidades, sólo por estar pensando, será o no será. Y así, estar adivinando. Nuestro destino sortear. Toda esa energía malgastamos y se va, como el agua de las manos, también se escurrirá, si no sabemos como aprovechar, hasta ahí, seguiremos atorándonos.

Nosotros mismo, somos los perjudicados, cuando nos conformamos, por no pensar elevarnos, llegando a otro grado con esta gran mentalidad. Nadie nace retardado, sólo es diferencia, pues cada cual tiene esa capacidad, que de alguna manera nos enseña y puede demostrarnos así como se vea, lisiado, impedido físicamente por la circunstancias, si se propone llegará. Luego entonces, ¿qué pasa con esa gente? ¿Dónde está, no siendo tan diferente? ¿Qué les pasa? No se ve pues, quedándose muy atrás. Aquí algo está pasando o lo mismo igualándose, nadie es más que los demás. Con razón estoy hablando, ya que está comportándose y quizá un poco peor. Porque estando buenisano, al vicio se está tirando, pudiendo hacer mucho más, que otros, que ni siquiera lo están intentando.

Si no entendemos la vida, somos igual que caja vacía, sin tener nada, ningún valor, dejándose llevar como esa nave en el mar, sin guía, siempre a la deriva, y de qué sirve el timón, si no sabemos llevar bien, esa dirección.

&&&&&&&&&&&&&&&&&&&&&&&&&&&&&&

¿A dónde vamos? ¿Acaso nos preguntamos, si no sabemos que somos? Pero eso si, actuamos, viendo esa conveniencia, sin ver que la consecuencia se dará en nuestro entorno. Por esto precisamente, debemos estar conscientes, sobre todo seguros. El ser humano, debería buscar primero, el propio perfeccionamiento. El auto-conocimiento, depurándose de fallas, seguir buscando el crecimiento sin ningún impedimento. Así mismo yo lo digo, pues de verdad eso siento. Comparando ese mar, una gran inmensidad, un mundo diferente, siendo lo que le asemeja y lo que tengo aquí en enfrente, con tal variedad, pues la especie submarina ahí puede respirar, se mueven por tener vida, todos viviendo bien, si quieren ahí, pueden lograrlo, pues se reproducen, mueren y nacen más. También igual, lo es en la tierra, nada les faltará, ya que les abastecieron con un reino vegetal. Yo empero sigo insistiendo, a todos esa grandeza, vino a dotarnos, tanta sabiduría, la fuerza espiritual, y cada quien tiene que llevarla, dejarse guiar, teniendo participación, y si tenemos que volar, ayudarnos, tratando, intentando levantar nosotros mismos estas alas, practicando y llegado el momento, estar seguros y no fallar.

Si tú dices que no puedes, eso te sucederá, si en tu mente eso sientes, cumplirá siempre, lo que tú le ordenes. Tal vez nunca lo sabrás, ni te lo imaginas, todo ese sentimiento, se refleja a si mismo, cuando tienes pesimismo o intranquilidad, se convierte en nerviosismo, por que al hacer algo, ya no sale bien, nos equivocamos, al pensar distorsionamos, transfigurando lo que deberíamos hacer bien. Y debemos entenderlo, cuidando, viendo la manera, más que nada, reconociendo al querer proceder, esa expresión que tenemos por fuera, y si tu sonrisa es fingida, se notará en seguida, esa alegría será solamente dientes hacia afuera; sin estar a gusto, por más que lo quisieras; Pues teniendo frustración, aquí o en cualquier lugar, ayer, mañana, también hoy, como vamos a lograrlo, si para nosotros mismos no existe satisfacción, aunque queramos mejorar la situación, donde bien acomodados, teniendo inquietudes. Sin haber comprendido nada y que todo puede molestarnos, hagamos lo que hagamos. Por esto tenemos obligación, encontrarle solución, buscando aquí dentro de uno mismo, ese, nuestro propio lugar, calmando toda ansiedad.

&&&&&&&&&&&&&&&&&&&&&&&&&&&

Y conociendo la causa, podemos hacer una pausa; creyéndolo, es importante nuestra vida cada instante. Pero bien pareciera, que está tan distante, tan difícil se nos hace reaccionar, por lo tanto, cuestionar el misterio, del que nosotros mismos no queremos hablar, ¿Miedo, o que será lo que pasa? Si somos incapaces de enfrentarnos, con ésta nuestra realidad.

Pero de que estoy hablando, que es lo que estoy tratando de decirles, de todo esto que aquí escribí. Tal vez fueron momentos cuando me llegó un poco de entendimiento y me atreví, aquí está este documento, lleno de palabras, pero el alma me sacudí; también va por ti. Piensa, a veces necesario es comenzar, a diario, ya que puedes equivocarte, luego entonces poner a funcionar debemos esa misma maquinaria, que parece complicada sin conocer el manual. Si hay oportunidad, hoy hagamos algo, tomando experiencia de lo que ayer nos pasó, pero que no nos gusto, mejorándolo; que en lugar de lamentarse, hay que recapacitar; 'pues a eso venimos, por eso estamos aquí, para dar; por qué no considerarlo, poniéndose en el lugar que a otros les ha tocado, menos favorecidos. Se trata de compartir, sin juzgar menos mentir. Tener conciencia, siempre actuando con justicia, nunca con avaricia. Sin querer sacar provecho de una situación donde tal vez la razón es difícil de aceptar. Si caminamos unidos así como debe ser, cuan diferente sería, cumpliendo nuestro deber. Pero primero debemos ver, saber perfectamente, que es y tenemos que hacer. Basándonos en nuestros buenos principios, así como seres humanos, y no vivamos en vano para poder merecer.

Aquí tenemos que ceder, sin ser esto obligación. Pues cuando se tiene el conocimiento, la disposición irá en aumento al término del crecimiento, si ya estando en el camino, más de la mitad llevando, por qué entonces no procuramos, si por algo nos arriesgamos y nada que perder. Al contrario, conoceremos el otro lado de la moneda, pues todavía mucho queda, tanto por aprender.

&&&&&&&&&&&&&&&&&&&&&&&&&&

&&&&&&&&&&&&&&&&&&&&&&&&&&&&

Por qué hacerlo tan difícil, si tenemos que cumplir, pero ponemos pretextos, inventamos trabas con tal de satisfacerse, viendo sufrir a la gente, aunque sea inocente, por eso estamos así. Nos quedamos tan calmados y no debe ser así.

Porque pasan tantas cosas, pero aún no lo entendemos. De nada pues somos dueños, pero nunca lo creemos. El cuerpo por ejemplo, físicamente hablando, le pertenece a la tierra, por eso cuando fallece en una fosa se queda. El alma, la vida y el espíritu, siempre pèrmanece intacto, mientras se realiza el acto y en otra forma florece, por ser una maravilla de la creación, esto no es una invención, se constata día a día.

Si borrando la memoria, no tratamos de cambiar la historia siguiendo por esa ruta contradictoria dejándonos gobernar, haciendo uso de nuestra facultad, sin hacer caso de la dignidad que siempre debe aflorar, evitando dar malos pasos, entonces cuando vemos los fracasos, por todos esos errores, nos presenta la factura, ahí está esa cuenta, que nos están cobrando y tenemos que pagar. Por esto mismo me permito manifestar con esta forma de expresar, un poco para no causar ninguna dificultad, a tiempo estamos de renovar, por lo pronto la mentalidad. Y que esto fue causante, ya espero lo sabrán, llevándonos donde quiera, permitiendo sea todo a su manera. Es la hora de buscar, aún contra viento y marea que se haga hoy, lo que debamos cambiar. Luchar y llegar a ser. Tenemos que barrer hasta esos rincones, quitando los escombros, los tenemos por montones. Ya no más impedimentos, tenemos que alivianarnos. Todo lo que nos estorba ya se tiene que tirar, brillando con esa luz propia, ganando la libertad.

&&&&&&&&&&&&&&&&&&&&&&&&&

&&&&&&&&&&&&&&&&&&&&&

Cuando el alma es liberada "se siente ya uno en paz", y sucede solamente si tú la quieres buscar; al vivir equivocado, penas y angustias tendrás siempre, en cualquier lado desolado te veras, pues cuando oímos la palabra que dice, esto es la verdad, pero, ha!, oídos sordos, seguimos ciegos, sin el camino encontrar.

Lo que pienso aquí lo digo y para mí así será. No pretendo convencerte, mucho menos, tú sabes bien lo que dices y también a donde vas.

Desde mi niñez, en esa infancia inocente, rodeada de mi gente, haciéndome creer siempre en pecados, en la muerte, en castigos, sin saber a donde ir, ni por donde correr, pensando para que lado ver, que de todo venía ya desconfiando por temor a lucifer. Tal vez por su educación, pensaron buena era su intención, haciendo esto por mi bien, tal vez y eso querían, a su modo y entender, mas estuvieron logrando, mi mente fueron nublando, estuvieron limitándome con ese proceder. Mi etapa de adolescencia, pasé con tal advertencia, cuidándome de caer. Habiendo tanta represión entre lo bueno y lo malo, pero que podía hacer con esas fuertes cadenas, igual fueron mis condenas que en ese tiempo pagué, aunque lo sé, eran ajenas cuando yo no propicie tantas situaciones como hoy lo puedo ver.
Eso ahora comprender, cuando asiste la razón, hacerles ver Solamente, guiando, llevando por el camino correcto, indicándoles que hacer. Ni a fuerzas, ni amarrados, menos condicionados se mejorará el bien. Si tiene la vocación se manifestará en cualquier lado, pues como estudiar para doctor al querer ser licenciado. También como el ingeniero, nunca gusta ser dentista, ni este, tolerará ser gerente financiero.
Todo por su propio peso, su momento esperará, como también lo que hacemos, tomándose en cuenta, así nos calificarán.

Una equivocación pasa pero ya no, más de dos. No sigamos reincidiendo Comportémonos, así como manda Dios.

&&&&&&&&&&&&&&&&&&&&&&&&&

&&&&&&&&&&&&&&&&&&&&&&&&&&

Somos seres tan valiosos en este mundo colocados, mas lo hemos olvidado y todo lo maravilloso cada quien por su lado, son tantas las cualidades, sobre todo la humildad, valoremos a nuestro prójimo, sin olvidar la hermandad. La riqueza material vale por darle nosotros mismos el precio a costa de la dignidad. En este caso. Prosigo, la lucha diario a diario yo lo vivo, por el pan de cada día, por mi vestido y sustento. Atareados siempre, esforzándonos por los complementos, más nuestra vida vacía, sin ningún aliciente, pensemos entonces, somos gente por demás inteligentes, igual nuestro mismo Creador, siendo criaturas bellas, como el cielo y las estrellas, agraciadas como el sol.

¿Qué nos proponemos entonces? acabarnos la energía sin sacar ningún provecho; qué nos cuesta ser prudentes, caminando muy derechos, esto no quiere decir convertirte en santo martirizado. Sólo vivir en estado de conciencia, sabiendo que la paciencia debe ir de nuestra mano. Tener una convivencia con amor, paz y alegría. De compartir con tu hermano así con sabiduría, llevando esa buena vida, velando, sintiendo la fuerza de lo que se nos ha otorgado y toda esa unidad. No teniendo vanidad ni queriendo acaparar, solo recuerda esto cuando das, también recibirás y nunca de nada carecerás. Perdona y serás perdonado, así deudas no tendrás. No lastimes y no serás lastimado. Siempre por el buen camino como se nos ha indicado, dándonos la mano siempre cuando alguien ha necesitado. Es esta vida de bien, no dañar, no acusando, menos en vano; si estamos viendo las causas que originan esas ambiciones, cayendo en las tentaciones que envenenan el alma, esas cosas que nos dañan; puesto que lo malo es en contra de nosotros mismos, aunque en apariencia el malvado siempre ha sido quien ha triunfado, pero sólo esta logrando y aumentando esa propia condena, alargando su cadena de pesares mientras sigue esto buscando; pero y no se sabe hasta que de tanto y tanto, más y más se enreda, pero llegado el momento, sintiendo la asfixia, sin aguantar esas penas, queriendo entonces confesarse, sabiendo que no puede llevarse todo eso, sus pesares, teniendo forzosamente que limpiar el alma y poder elevarse. Por esto es mejor ser justos, viviendo con la verdad, sabiendo que por nuestro propio gusto se nos puede condenar. Y que el mal puede esperarse para la cuenta agrandar, pues todo esto está anotado y así muy caro nos pueda cobrar.

&&&&&&&&&&&&&&&&&&&&&&&&&&&&&&&
&&&&&&&&&&&&&&&&&&&&&&&&&&&&&

Estoy mirando el reloj muy detenidamente. Pues fue hecho precisamente para medir el tiempo, teniendo encomendada ya esa misión. Ahí está exacto, trabajando segundo a segundo. ¿Pero que pasaría si a cada minuto sus manecillas pararan, como si estuviera quejándose cansadas de dar vueltas? ¿O si de repente fuera alocándose y estarse adelantando? Seguro que esto nadie quisiera, ocasionando un caos. Claro que no, de ninguna manera, el tiempo tiene que transcurrir lentamente, normalmente, no en desesperada carrera. Porque eso pareciera, cuando nos contrariamos, como si no nos bastara esa vida entera que tenemos; y por lo visto nos gusta remar contra corriente. Actuando de forma un tanto imprudente. A donde nos urge llegar, debemos preguntarnos, habiendo tantas maneras. Hoy quiero reflexionar a tiempo, pues nadie nos puede ayudar si en lugar de dar un buen ejemplo, viéndonos así afligidos, cansados, lamentándonos por no haber comprendido ese deber, valorando nuestra fuerza, recapacitando, que no es el ir, venir, dando vueltas en el mismo lugar, sino tratando, sobrepasando los límites dentro de lo normal. Tenemos que buscar ese punto cardinal, podernos orientar. Hay tantas cosas que ignoramos, y por falta de fe, dudamos, por eso es que fallamos.

En este caso, desde que llegamos a este mundo ya traemos todo, dotados también de gran capacidad que nos hace auto-suficientes, llenos de vitalidad, tanta energía la cual serviría por un mundo mejor, diferente; pero nos gusta esperar y hasta a veces mendigar. Disculpas mil yo te pido, si acaso crees te he ofendido, pero a veces es verdad y de acuerdo a lo que miro, cuanto nos cuesta perseverar; cuando lanzamos la flecha queriendo dar en el blanco y en lugar de ir derecha no le atinamos, ya que nuestro pensamiento no logró darle la fuerza, dudado por un momento. Si somos amos del viento, pero temblamos ante la misma tempestad. No sabemos aplicarnos por nuestra inseguridad, sin hacer más. Cuando con sólo levantar la mano se puede aplacar la furia de un volcán, si eso es necesario, pues de este universo infinito por lo mismo, se nos hizo partidarios.

&&&&&&&&&&&&&&&&&&&&&&&&&

&&&&&&&&&&&&&&&&&&&&&&&&&&&&

Costumbres y tradiciones; las vamos esto heredando, quedando esto así en la nueva generación la cual tiene que seguir, haciendo lo mismo, repitiéndolo sin cambiar esas normas ya establecidas, sintiéndose por tanto orgullosos al haber cumplido.
Está muy bien esto, cuando haciendo lo correcto y el individuo dispuesto. Pero más valiera uno mismo prepararse, conociéndose a profundidad, la propia potencialidad, igual esos factores con lo cual poder contar, sacando provecho, pero nunca de los demás cuando quiera mejorar; siendo esta su tarea, individual obviamente, diferente la manera de aplicarse, queriendo ampliar o sintetizar, dependiendo lo que requiera alcanzar. También cómo y por dónde comenzar, pues ese resultado será, de quien el proyecto ha planeado y a su manera ejecutado beneficiándose, siempre y cuando no sea en contra de los intereses de alguien más. Por si acaso, me atrevo aconsejar, no cometer un error creyendo que no hay un precio, es de tontos hombre necio por la mala querer actuar y sólo así acomodarse en un lugar que no es el correspondiente. Por haber inconvenientes que tal vez queramos ignorar; no vales por ser valiente, si no se lleva arraigada esa gran honestidad.

Tanto y mucho más tenemos para dar. Si de verdad quisiéramos, eso sería lo primero, cada quien conociendo su propia forma y manera de sentir. O sea, lo que es en su existencia y de lo que está constituido en su formación humana realmente, lo que valga, pues sinceramente de eso se carece. Al ir abriéndonos paso por la vida, no tomamos la medida, a ciegas caminamos, esforzándonos pero nunca en lo que se debe; concentrándonos en un tesoro, dedicándonos únicamente buscando oro; Sin responsabilidad, sin saberlo, pues primero es ver por uno mismo, cuidarse, alimentarse nutriéndose del saber, teniendo buena preparación, conocerse ampliamente, ser capaz e inteligente y lucida nuestra mente pensando correctamente, compartiendo, esto no quiere decir que tengamos que ser pobres y sólo subsistir. Precisamente por esto debemos abrir ese entendimiento, que sea prioridad, teniendo la comprensión total, siendo esa luz del camino, también para los demás.

&&&&&&&&&&&&&&&&&&&&&&&&&

&&&&&&&&&&&&&&&&&&&&&&&&&&&&

Si ahora aquí enredándome estoy, por más que lo quiera, nunca alcanzaré nada, aún estirando la mano y así puedo quedarme; no es por criticar, pero qué más puede esperarse del comportamiento humano, cuando aun en desarrollo, no quiere aguantar mas, queriendo vivir su vida ya, pensando que puede en ese momento, haciendo, prometiendo lo que cree cumplirá por facilitársele; diciendo estar enamorado y lo mejor que le ha pasado, que él solo ya no puede seguir, siendo eso lo más importante, dando su vida en ese instante sin saber lo que en verdad será vivir más adelante. Para todos y cada uno de nosotros, hay un lugar mientras en este mundo tengamos que estar, pero debemos buscarlo; mientras tanto estemos aquí perdidos por no creer lo que tenemos y podemos afianzarlo, sobre todo sin dudarlo.

Antes de tiempo a fuerzas, esa fruta madura, pero ya no será igual. Todo tiene y se le debe dar su tiempo y con calma, bien se puede disfrutar.

Ah, pero la juventud no tiene la culpa de nada, así mismo fue educada, y si no cambia, seguro así seguirá. ¿Qué cuentas podemos pedir?, ¿con que cara?, si esto es un espejo de lo que fui, esto es mi obra, pues lo construí yo mismo y ese precio, mi paga. Con mi propia responsabilidad he de cargar, aunque difícil será, debo llevarla dejándola en su lugar mientras tanto y tengo que considerar el momento, ese precioso tiempo ya no desperdiciarlo, por eso mismo tengo que asegurarme ya que los errores caros se pagarán, ahora sé que no debo volver a equivocarme o de lo contrario la historia se repetirá, por lo pronto no, si puedo evitarlo.

Nuestra mente susceptible a pensamientos per-turbantes, en esos breves instantes pueden ser tan increíbles, pero todo es posible. El hombre siempre expuesto, pensando, dejando volar esa imaginación, sin saber lo que pasará, hasta dónde llegará ese poder mental. Aquí ya lo vemos, si no sabemos canalizarlos, esa fuerza puede desperdiciarse, envolviéndonos solamente en esa gran tempestad, que pudiera ocasionar esto.

&&&&&&&&&&&&&&&&&&&&&&&&&

&&&&&&&&&&&&&&&&&&&&&&&&&

Mientras en el pedestal estemos, nos rendirán los honores, todos y después, al no ser importantes ya, como tal, se olvidarán; si existimos ni se acordarán, menos nos favorecerán con ese ramo de flores que a la tumba llevarían por obligación o costumbre que cada quien tiene, cumpliendo solamente, o por el que dirán tal vez los demás; importándoles tanto esas opiniones, o sea la critica; ésta una gran verdad, estando acorralados nosotros mismos, encerrados en un círculo inventado por la misma necedad del comportamiento frívolo, rodeados de falsedad.
Por lo mismo, es más fácil estar, sin tratar de presionarnos. Total el tiempo pasa y va mostrándonos para vayamos repasando tal circunstancia, cosas que estén bien o mal, haciendo correcciones en esas impresiones o en nuestro propio modo de ser y actuar, nuestros hechos, pues con los desechos no podemos quedarnos.

Es de sabios callar, pero nunca ignorar cuando hay oportunidad de cambio, debemos ocuparnos en esto, trabajando de acuerdo al proceso en el que estemos y vaya ameritándolo; eso que nos hace merecer, tratando, reconociendo las fallas interiores. No hay un mismo parecer, pero debemos saber, sobre todo conocer, viendo las consecuencias a que estamos llegando; estando ahí precisamente. Pero ¿por qué? Ya no preguntaré, a que nos está orillando esto, pagando tan caro las cuentas, eso que nos cuesta, por ser una carga tan pesada.
Mas si ya pronto corregimos la ruta elegida, por creerla conveniente, pero por más que tratamos no podemos, no avanzamos. Esas fuerzas malgastamos, nada es suficiente, claro por eso ahí nos quedamos atascados; aunque grande sea el poder, al no sentir el querer, nunca obtendremos la fórmula perfecta que pueda favorecernos, revirtiendo ese papel en el que estamos clasificados como seres limitados.

&&&&&&&&&&&&&&&&&&&&&&&&&&&&&

&&&&&&&&&&&&&&&&&&&&&&&&&&&&&

Somos quienes entenderlo debemos, en esa oscuridad siempre batallaremos, siendo la claridad únicamente lo que puede ayudarnos, si es que queremos verla, y hacer el bien. Hoy es tiempo cuando aún lo hay, si creemos podemos lograrlo, avanzando, lo que se requiera y sanar, resucitar a una vida libre nuevamente.

De acuerdo a investigaciones de la ciencia sobre estas civilizaciones, llegándose a ciertas conclusiones. Pues desde tiempos remotos el ser humano pensante, fueron sus inquietudes adentrarse, tratar de saber como poder desenvolverse más ampliamente y por ende cual sería su deber. Así que conocer también quiero un poco más a fondo, lo que tenga que ver con esa evolución hasta hoy. Haciendo comparaciones puede haber equivocaciones, por discrepancia de opiniones en búsqueda de la verdad. Por esto fue la desbandada, formando tantas religiones, separaciones, desigualdad; desde este punto de vista, siempre estamos en situaciones de inconformidad. Porque entonces hacernos bolas enfrentándonos a olas sin saber nadar. Todos ciertamente, llegaremos y por ese solo camino, el cual buscaremos siendo nuestro deber y nuestra responsabilidad. Ah pero si vamos a depender será difícil valorarse uno mismo, esa capacidad; pues debemos trabajar con herramientas propias, que si no las ocupamos estando ahí, se oxidarán, pues a nadie más le servirán.

A todo queremos sacarle provecho, constatándolo, siendo un hecho que otros logren. Pero que mentalidad, pues si tenemos flojera nos quedaremos afuera, sin tener ganas de entrar.

En sus marcas, listos, fuera... Así... atentos a la señal, es como debemos estar. Y puedo vaticinarles, si no participas en la carrera, tu lugar perderás, sin dar a conocer tu bandera en esta oportunidad.

&&&&&&&&&&&&&&&&&&&&&&&&&

&&&&&&&&&&&&&&&&&&&&&&&&&&&&

Y por algo dicen esto... no hay peor ciego... así es. No queremos verlo, de que nos sirven los ojos, aunque usemos los anteojos, siendo los mismos de ayer, pero nuestro misterio, sigue ahí sin resolverse. No hay ese desarrollo que pueda ayudarnos, crecer; y todo salta a la vista, la vida con tantas vueltas, haciéndonos entenderla. También estando el calendario sin poder retroceder, porque si damos un paso, marcado ahí quedará; más considerándolo bien, sería cosa del pasado, comenzando desde hoy; siendo cuestión de querer, por bien de nosotros mismos, lo que más podamos hacer; teniendo esas mis razones, también quiero comprender, al mundo no voy a componerlo, pues aún debo aprender. Cuando jóvenes nada nos preocupa; la vida pasa inadvertida, tomándose a la ligera y parece divertida. Amanece, anochece, sin tomar en cuenta ese lapso de tiempo y tal vez significa nada, dejando pasar lo más importante; la libertad de plasmar, de expresarte, por lo tanto de formarte, no tener que pasar por ningún obstáculo en tu camino, debemos aprovecharla, adueñarnos de lo que se nos da, tanta inteligencia que ni hemos ocupado, esperando que todo nos caiga del cielo, acostumbrados a pedir, en esto quiero insistir.

Fuimos hechos, creados parte del universo. Todo lo que vemos es grandioso, perfecto y nuestro. Porque entonces nos comparamos, la verdad no entiendo, siendo seres humanos el adjetivo que damos queriendo inventar, relacionándonos con la raza del simio. Nunca será descender, al contrario, todo debe ascender; aquí con esto comprobado y grandísimo error, estando de manifiesto, todos los seres vivos en su hábitat natural, cohabitan con el hombre a veces, siendo esto normal, pero hay una diferencia de aquí a la eternidad: sobreviven por instinto y en nosotros no es igual. Por eso me extraña, y nuestra gran inteligencia ¿a donde viene a quedar?, pero pensándolo bien también tengo que opinar, ¿será que esas criaturas, los monitos, quieran elevarse, siendo así, iguales a nosotros? Por eso en algo se nos parecerán al tratar de imitarnos. Todo puede suceder, pero lo que yo no admito si ya estamos en la cima, cansados querer bajar, ya del otro lado nunca más volver atrás. Pero en fin no es cosa mía, decide por ti mismo, a donde quedarás.

&&&&&&&&&&&&&&&&&&&&&&&

&&&&&&&&&&&&&&&&&&&&&&&

Siendo nuestra propia decisión querer tener buena vida, con tan gran preparación día, a día, enfrentando los retos, con valor, libres, completos, alcanzando así lo mejor.

Y dime tú por ejemplo, ¿qué harías en otras circunstancias a estas alturas, con un cargo donde no tienes confianza, delegando en ti asuntos que ni siquiera conoces, sin sabes actuar, menos mandar por falta de experiencia? ¿Qué es lo que va a pasar?, y puedo asegurarlo, este, no es tu lugar; todo tiene un principio pues siempre es comenzar, desde abajo, por un lado, hacia arriba o hacia atrás, que si ya te has fijado, con más razón deberás trabajar. Pero no me has entendido, me refiero a la mentalidad, con eso no contabas siendo el factor principal, lo que nos ayuda, siempre y cuando podamos dominarla; nunca dejando al garete como botes en el mar, siendo un líder, movilizarte, tratando de renovarte, sabemos que el mundo gira, pero cuando ignorantes, así no puede llevarte, siendo la dimensión aún desconocida, mientras deberás prepararte; sin dejar engañarte, los errores en la vida son retos, enseñanzas y si no buscas salida, ahí solo puedes quedarte.

Encuentra razones siempre, pero no por compasión echar a perder tu vida. Teniendo plena convicción, lucha buscando ganar, eso tú lo verás, nunca te arrepentirás, estando ya en la cima. Tú mismo eres si quieres, por lo que avanza si puedes, si sabes lo que tienes en ese gran corazón, oye lo que te dicta, pero lo más importante es actuar, mirando siempre hacia arriba, lo más que puedas elevarte.

¿Cuál es la clave del éxito? darle la espalda al fracaso por supuesto. Sacarle la vuelta, no hacerle caso, borrándolo de tu lista, desecharla de tu mente que no exista. Que tu meta sea concreta, piensa bien en lo que creas conveniente si te propones algo, con tantas buenas razones de un mal sueño ya despiertas, viviendo así por siempre, lleno de satisfacciones.

&&&&&&&&&&&&&&&&&&&&&&&&&&&&&&&

&&&&&&&&&&&&&&&&&&&&&&&&&&&&&

Queriendo hacer comparaciones aquí sentada en mi silla, quedando sin preocupaciones, tranquilamente viendo solamente pasar la vida. Para mí estaría muy bien, pero a la larga que fue, no aproveché, tampoco disfruté esos buenos momentos, así simplemente me quedé con las manos vacías, ya que nunca cooperé, nada logré por mi misma, porque este talento dormía, mi creatividad nunca desperté. Y como no me ayudé ahora soy una carga. Eso si que suena feo, pero así es como lo veo; mas hoy intentaré trabajar, haciendo algo productivo, ahora que aún puedo y eso l haré.

Hay más tiempo que vida, es un dicho y bueno, tomaremos esto así. Pero que no se quede en palabras, los hechos se ven mejor, pues nada más estar pensándolo, así la vamos pasando, siendo peor no decidirse como manejar tu vida al preferir ser perdedores.

Cuando jóvenes aún, tropezarse dícese ser un error por la inmadurez, pero aquí algo importante, no hay justificación; será entonces la culpa misma, llevándose como penitencia del acto que cometió. Pero deberá fijarse y repararlo, no complicarse después, si a tiempo no liquidamos esa deuda por pagar, quizá más adelante, con el tiempo, creyendo está en el olvidó, en algún momento surgirá, viviendo esa consecuencia, lo que en su momento no respondió.

La verdad tarde o temprano, quien la debe, pagará; entonces hacer conciencia, conduciéndonos bien, tomando ejemplos. Cuantas veces ha pasado, ya estando en el lugar más alto al que pudo llegarse, o sea el privilegiado. Sin saberlo vemos a esa persona tan recta, con buenos modales que nos parece intachable, de pronto cuando menos se lo espera, de una u otra manera, una sorpresa llega y mas cuando no es grata; no basta con cambiar de ropa, lavarse con agua y jabón, o perfumarse tanto si no hay educación. Si ponemos en acción desde un principio nuestros valores, haciendo una extensión que se deberá llevar con firmeza y determinación donde quiera. Para así poder estar siempre en cualquier lugar, seguros sin peligrar o conductas reprochar.

&&&&&&&&&&&&&&&&&&&&&&&&

&&&&&&&&&&&&&&&&&&&&&&&&&&

Aquí invitarles quiero, reflexionando un poco.
Es tiempo de cambiar, de perdonar, sacando esas cosas que dejamos arraigar, estando encarnadas. Pero ya no permitamos o se quedarán enterradas, lastimándonos más y más.
Todo resentimiento, remordimientos, son los que no ayudan a pasar esa agua limpia, cristalina, que debemos tomar y poder calmar ese desasosiego que de impotencia nos hace temblar. Y con toda esa carga sin poder caminar, haciéndose la ruta tan larga. Por lo que debemos buscar ese espacio, el que correspondiente donde liberarnos y tranquilos respirar.

Y dime, ¿a quien hacemos mal, tragándonos ese coraje? Anidando el dolor, sintiendo tanto rencor; Pues si todo es pasajero, por mi bien eso no quiero, así no podemos vivir. Es como estirar ese hilo y de tanto y tanto se revienta. Nada ni nadie, puede dañarnos pero tomamos en cuenta, aceptando queden dentro los pesares. Hay cosas que pueden molestarnos, pero de verdad ¿valdrá la pena llevarlos? sin ver que esto nos condena padeciendo así tantos sufrimientos? hoy precisamente, de la noche a la mañana, si queremos, claro está, lograremos al decidirnos cambiar, llenándonos de energía, sintiendo esa armonía aquí muy dentro, con esa paz. De verdad no cuesta nada, puedo asegurártelo, estando ya en calma, muy pronto todo olvidarás.
Pues cuando estando encerrados en un lugar donde no hay claridad, habiendo total oscuridad, anhelas salirte, viendo un panorama diferente, nunca más volver donde estabas, cual es la diferencia, ¿porque entonces quieres aguantar la penitencia, teniendo la solución?
¿Hasta donde llegará tu resistencia o cuando sea muy tarde

recapacitarás? tienes que recordarlo, el tiempo pasa ya no regresa, la juventud no es duradera, ¿porque hoy no aprovechar? Si esta vida la tenemos hoy, tanta grandeza y libertad, pero en lugar de progresar, aquí vamos apenas, nos quedamos muy atrás. Nadie nos va a cuestionar, ni tampoco a exigirnos. Pero las cuentas también, nadie más las pagará; esos platos rotos, los descontarán de nuestro propio salario; debemos cuidarlo o nada nos quedará.

&&&&&&&&&&&&&&&&&&&&&&&&&&&&

&&&&&&&&&&&&&&&&&&&&&&&&&&&&

Por esto a diario debemos considerar, lo que hacemos, siendo en contra de nuestro bienestar lo indebido. Porque no comprender de una vez, si queremos estar así, haciendo las cosas al derecho o al revés pues. Ahora aquí, ordenando mis pensamientos, buscando también dentro en el fondo de mi alma, con las fuerzas que tengo aun para reconstruir, resarcir todo lo que pueda, quitando esos despojos, encontrando lo que busco, cuando estoy necesitando ese camino de luz; ya no quiero esta cruz, a mí, no corresponde llevarla, ya basta entonces, hasta aquí voy a dejarla y quiero limpiar mi nombre, que se vea, que brille como una estrella. Ahora vive, ama, tienes tantas cosas bellas. Perdón también pido y les digo con amor, siendo esto el más grande valor y sólo así, por siempre serán felices.

Todo esto ya lo saben, son mis propias reflexiones de la vida, lo que he pasado y he visto en mi experiencia. Por eso así también he titulado esta obra, el presente libro.
Vivir es difícil, cuando no sabemos como y por qué. Pero sería peor si antes de buscar respuestas, no tratamos de conocer esto de nosotros mismos. Explorando el mundo interno, todo lo concerniente a nuestra conformación del nuestro, este cuerpo, físico-mental-emocional.

A donde quiero llegar…
Es mi prioridad, lo que más debe importarme, así al paso que vas, ¿qué es lo que conseguirás, si no le das para adelante?, te quedarás muy atrás, y prefieres verte así relegado. Nadie te puede obligar si tú

no estás convencido, creyendo si a este mundo has venido, tal vez siendo aquí, uno más.

Y solamente cuestionándome; estoy auto-criticándome, viendo poder abarcar, que no sea novedad, estar muy bien preparado al ritmo de lo avanzado, si lo mejor quiero lograr, teniendo esa buena estabilidad, a lo físico-mental aunado.

&&&&&&&&&&&&&&&&&&&&&&&&&&&

&&&&&&&&&&&&&&&&&&&&&&&&&&&&

De qué estoy preocupándome hoy, si no estoy actuando. El deber es trabajar, hacer, tener esa iniciativa, sobre todo crecer; debiéndose tener paciencia, aprovechando esta nuestra inteligencia.
La grandeza que conocemos en esos hombres pequeños, se ha dado, no contando el tamaño del cuerpo del ser humano; esto no es un engaño, así es y aquí lo vemos. Todos podemos si queremos. Ese poder mental se tiene que utilizar, perseverando, tanto puede lograrse.
Se sabe de mucha gente por medio de las historias, que nos dieron tanta gloria, no siendo letrados. En esos tiempos pasados, estando muy atrasados con lo de hoy comparados; haciendo ellos esfuerzo y aún así se esmeraron superándose, dejándonos esa tecnología que se ha modernizado.

De verdad es admirable esa gente tan sencilla, a pesar de sus carencias, supieron enfrentarse a la vida, con su tenacidad hicieron algo que de verdad valía; creyeron, crearon, y no nada más para ellos, todos fuimos con esto beneficiados, aquí lo vemos hoy en nuestras labores, que tanto se nos facilita y todo esto gracias a ellos, que en lugar de estar pensando en muchas tantas tonterías, se estuvieron ocupando en lo que debían; pues en la actualidad lo estamos ya disfrutando.

Esta herencia es un camino con ejemplos a seguir, con tanta ciencia adquirida, más puede descubrirse; tan sólo con nuestro empeño, sobresalir podemos. Todo está en cada uno, teniendo oportunidad y su propia capacidad, algo mejorará. Ya que si lo entendemos en cada etapa, siempre se actualizará todo lo que hoy tenemos o de moda pasará, porque así es como lo decimos cuando hay algo nuevo, o sea más moderno. Por eso debemos adelantarnos, estar siempre a la vanguardia y creo esto lo sabemos.

&&&&&&&&&&&&&&&&&&&&&&&&&&&&&

&&&&&&&&&&&&&&&&&&&&&&&&&&&&&

Más puedo pensar lo que quiera. Una cosa es lo que crea pero otra la realidad.

Por esto viene al caso recordarles esta historia; Cristóbal Colón decía cuando decidió aventurarse en esa misión que tenía: *"que la tierra era redonda"* pero nadie le creía, poniéndose a objetar. Pues cada quien puede dar su propio punto de vista por libertad de expresarse, canalizando su sentir cuando se tiene el valor, o si no por el contrario, muchos prefieren callar, no hablan por temor lo que están pensando y así van quedándose con todas esas ideas, opiniones o cuestionamientos, sin el atrevimiento y decir a los cuatro vientos algo que tal vez pueda servir, seguir orientándose, solucionando cosas por las que estemos pasando.

La experiencia cuenta, es importante también. El muerto no pesa mucho si lo llevan más de tres. La unidad hace la fuerza así como debe ser.

Un partido de fútbol por ejemplo, deberán de trabajar parejo todos sus elementos, ya que su meta es ganar por una diferencia exacta, tratando que por lo menos sea la de un gol. Y no es hacerse un favor cuando solamente a uno quieran reconocer, si cada quien contribuye haciendo su parte, o sea patear y correr mucho, con tal de favorecer el tiempo marcado, así el triunfo es del conjunto, de todos los que forman parte de él, pues supieron merecerlo cuando el partido ganaron.

Hablar puede ser la solución, no sabemos si tal vez por lo mismo podemos salvar nuestra misma soledad, ese aislamiento en el que pudiéramos estar, viéndonos en un congestionamiento dentro de nuestro cuerpo, sentir, atrofiado, es lo que hacemos por tanto pensar sin canalizarlos, sin sacar esos sentimientos que pueden hacernos mal. Porque nos queremos castigar, convertirnos en verdugos con tanta severidad.

&&&&&&&&&&&&&&&&&&&&&&&&

&&&&&&&&&&&&&&&&&&&&&&&&&

 Si estamos en este mundo, se que por algo será, precisamente nos toca buscarlo, el motivo, la razón, saber cual es la misión que cada uno tiene o alguna aportación que se requerirá en si, en la propia adaptación de lo que se comprenderá, cuando estamos descubriendo ésta nuestra gran verdad.

Saber que estamos viviendo nuestro tiempo, claro que así será; lo estaremos comprobando sintiendo ese bienestar en el cuerpo y en el alma, así nada más. Ya que todo sale sobrando, si encontramos esa paz. Pues siendo esto lo más urgente que estamos necesitando.

Y no es sobrevivir si más puede pedirse, podemos conseguirlo si es que vamos en el camino correcto y podemos resistir, que nada nos detenga aunque hayamos tropezado.

Hoy te miro levantado, sí, te estoy hablando a ti, que tanto te has esforzado, a ver que puedes decirme. Es cuestión de decidirse, por eso aquí bien plantado, es como quiero seguir, demostrar que tengo fuerzas sobre todo voluntad, e ir controlando esa cuerda, que mi energía no se pierda, así cuando ya bien formado, saber que voy a elegir. Con esto quiero decir, no es por llegar primero, es como se quiera llegar y cuando, calificando, buscando esa aceptación en excelente lugar.

&&&&&&&&&&&&&&&&&&&&&&&&&&&&

&&&&&&&&&&&&&&&&&&&&&&&&&

Sin tanta palabrería
Ni pasártela rezando toda la letanía, ya sabe Dios lo que quieres, sólo pide sin ofrecer nada a cambio, y muy pronto ya verás como manzana colgando, que ahí se está manifestando lo que estás deseando, siendo que todo es por bien.

Para que quieres la vida si te estas atormentando
Si tu mente es positiva pero lo estas olvidando

Vivir esta gran vida que nos toca por derecho, con toda sabiduría buscando la armonía, todo se nos facilita aunque el camino sea estrecho.

No es a fuerza ni luchar sólo deja que te guíe esa buena voluntad
Será lo que será sin aferrarte todo lo que tú quieres busca y encontrarás
Todo lo bueno se nos da, sólo es cuestión de pensarlo manejando muy alto esa gran mentalidad.

&&&&&&&&&&&&&&&&&&&&

Al llegar la oscuridad cuando reinan las tinieblas
Ahí ella estará nunca se marchitará siendo la flor más bella
Cuan tenebroso y tanto mas misterioso Ella resplandecerá así como el cristal que brilla con magnifico esplendor
Es una maravilla pues nada le afectó, Serena, apacible por siempre quedó.
Aún con esas tormentas que sacuden por el cielo nunca tocará el suelo ni enlodará su vestimenta.
Esto parece inaudible pero todo es posible si te sabes mantener, la fe nunca perder, esto es lo importante siguiendo adelante lo que quieras hacer.
Que primero ha de verse, buscando cual es la meta que vas a proponerte estando también muy seguro pues naciste te lo juro y lograr ese lugar del que eres merecedor, siendo esto lo mejor sintiéndote satisfecho ya que lo conseguiste.
Ya ves que tú mismo fuiste el guerrero en la batalla, nadie te llegó a la talla de la grandeza y valor que ahí demostraste. Hoy sabes que la victoria se gana teniendo una razón, defendiendo tus ideales, siempre que te acompañen la fuerza y el corazón, que por ley te proclaman, vencedor.

Se debe estar preparado esperando ese momento, cuando te llegue la hora, demostrando ese talento.

Aquí te pongo un ejemplo, si te mandan a la guerra, vas a luchar por supuesto, saber disparar así la vida salvar, cuidando también tus flancos saber cual es tu lugar, ubicando las fronteras y nunca te perderás eso tenlo por seguro, pero ante todo, airoso siempre saldrás.

&&&&&&&&&&&&&&&&&&&&&&&&&&&&&&

Hoy también quiero decirles, como puedo construir sin tener esas nociones ni carrera de arquitecto e iniciar, ni siquiera edificar faltando las lecciones que pudieran avalarme para esas mediciones; que puede esperarse entonces sin tener seguras las bases y comenzar levantando paredes; mas si tu sabes y quieres que todo lo que hagas hoy, tendría que ser lo mejor, para que más adelante nada pueda avergonzarte viéndote con respeto, ganándote ese honor, siendo sobre todo una persona triunfante.

Nunca dejar al mañana lo que pueda hacerse hoy, aprovechando no desperdiciando el tiempo, que la vida es un momento de gloria o de sufrimiento, si bien o mal se ha vivido. Pues cada quien a su manera, eso mismo ha decidido.

Habiendo tantos ejemplos se repiten las historias, cuando no cambiamos esa trayectoria, sin tener discernimiento sin ver para adelante. La decisión de un instante puede ser tan relevante. Que te cuesta analizar, esperar, sobre todo madurar; completando el esquema y no arrepentirte luego, pues piensa en el compromiso que tal vez adquirirás, si seguro tú no estás, cómo lo solventarás. Pues te digo con razón, que la carga es muy pesada y pongo a consideración esta sencilla reflexión, tú sabrás como tomarla.

A veces pensamos esto, porque lo he oído decir…
Es mi último camión, cuando andamos tan desesperados y nos montamos sin saberlo, en el primer burro que en ese momento ha pasado; cuando siendo incapaces de tener y buscar la resistencia, la paciencia esperando lo mejor; un gravísimo error cometido; pero ahora ya ni hablar, ni modo, no vale llorar, aquí tienes que cumplir, lo hecho, hecho está, sólo queda recordar, viviendo arrepentidos por todo lo padecido.

&&&&&&&&&&&&&&&&&&&&&&&&&&

Por nuestro libre pensar y también para elegir, tenemos que decidirnos cómo queremos vivir. En este mundo hay caminos, tantos, pero solamente uno será para cada quien. Si te sientes competente, atrévete, pero recuérdalo sólo siendo inteligentes, sabiendo que nada es urgente deberás desenvolverte con naturalidad, superando el medio ambiente, logrando escalar, entre más y más hasta llegar a la cima. Con cuidado viendo que ahí, tu nombre grabado estará, porque te lo has ganado, pues así mismo has tenido esa férrea voluntad, sobre todo la humildad por eso tu estrella te ha acompañado y en tu cielo brillando está.

Así es, cada quien es el actor en su propio escenario, dando vida a ese papel del cual se ha adueñado. Y quien puede ser culpable por esa actuación, cuando por si sólo se ha ganado tal calificación. Malo, bueno, regular, ese será su lugar. Y si quiere, claro que puede superarse, para lograr pueda salir bien todo seguramente, y le vaya mejor con un poco de decisión, sobresaliendo y estar más adelantado. Si uno lo quiere así, habiendo evolucionado

&&&&&&&&&&&&&&&&&&&&&&&&&&&&

Este es el fin de los tiempos ya estos los últimos días
Como está en los documentos   llegó la sabiduría

La luz rasga las tinieblas acabó la oscuridad Todo cuanto estaba oculto a la luz del sol sale ya

Al fin la verdad reinará
La mentalidad negativa ha pasado sólo la positiva ha quedado

Hoy sólo mentes brillantes en este nuestro mundo nuevo son quien en verdad merecen toda la bondad del cielo.

Siendo este Paraíso que en su momento preciso nos regala el gran Señor
En esta era de paz cuando se acaban las guerras donde no hay ya egoísmo sin existir más fronteras

Cuando ya se ha comprendido lo que somos y uno mismo
 Floreciendo así la tierra sin temor de cataclismos

Cuanta equivocación viviendo con aprehensión esas mentes atrasadas dejándonos envolver
Pensando no podíamos merecerlo porque escrito esto estaba
De castigos con infiernos de miedos al fuego eterno sin que nada nos salvara

Sabemos hoy el amor esa llave del perdón que desde el principio nos predicaban

Sin comparación hasta aquí todo cambió el dolor el sufrimiento que tanto nos subyugaba

Diciendo no a la sumisión viviendo hoy la nueva generación en la luz que resplandece nuestra liberación y envueltos en ese manto sigamos así que por fin ya todo ha quedado atrás.

&&&&&&&&&&&&&&&&&&&&&&&&&

MEDITACION
Respirando muy profundo vamos hoy a meditar
Mandando pensamientos de salud, amor y paz
En unanimidad

Si lo queremos podemos todos ayudar logrando un poco
De armonía en el plano universal

Siempre así elevando una oración no cayendo en tentaciones

Habiendo tantas perdiciones juventud descarriada inteligencia malgastada sin un buen provecho y no poder Hacer nada

Arriba de una vez vamos actuemos rescatando de esa Suciedad con todo y la buena voluntad si en nuestras manos está

****

No es hablar de religión tampoco estar predicando
Siendo mi satisfacción dar aquí esta mi opinión

Cuando a los grandes sabios y hasta el mismo
Jesucristo tuvieron contradicción

Que puede esperar entonces esta gran desconocida
Solo espero se comprenda siendo buena mi intención
Mejorándoles la vida tomando cada quien si gusta
Un poco de reflexión

Que no nada mas de Pan viva el Hombre

Estas son mis reflexiones no un libro convencional
Siendo esta mi manera de lo que quiero expresar
Desde dentro hacia afuera y todo esto explicarles
De mi sentir de mi pensar aquí en lo particular
Por medio de estas líneas espero poder canalizar
Con este sentimiento llegar hasta ti
Reconozco la grandeza y también esa humildad
Es por eso tu belleza y la mirada de bondad
Donde se ve reflejado el Gran Ser Espiritual.

"HONOR AL MAESTRO"

Por más que busqué en el diccionario no encontré... pero aquí les manifiesto...

MAESTRO: ES GUÍA
MAESTRO: ES MARAVILLA

Maestro misionero
Que transmitiendo vas tu sabiduría
Engrandeciendo la patria mía
Gracias a su esfuerzo por el conocimiento
Mejorándome la vida
Gracias por su tiempo llevándome de la mano
Formándome siendo un buen ciudadano
Maestro antorcha que iluminas viendo así alcanzar
Esos ideales y nada escatimas con tal de hacer
Florecer lo que con tanto esfuerzo cultivas
Para siempre vivirás
Por que aquí presente en la memoria
Enmarcando el cuadro de la historia
La gloria tu verás pues eres el pilar de la victoria

&&&&&&&&&&&&&&&&&&&&&&&&&

EL AMOR ES EL MOTOR, DE TODAS LAS COSAS BELLAS.

"CON AMOR SE VIVE ETERNAMENTE"

En el tiempo y en la distancia. Sola, no se lo que haría,
por suerte tengo el amor, que me inspira la poesía...

EL AMOR, ES DEL MUNDO EL MOTOR.

EL AMOR Y LA POESÍA, SE VIVEN TODOS LOS DÍAS

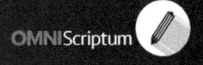